JN070469

テーマからつくる
物語創作再入門

ストーリーの「まとまり」が共感を生み出す

K.M.ワイランド 著
シカ・マッケンジー 訳

Writing Your Story's Theme:
The Writer's Guide to Plotting Stories That Matter

テーマからつくる物語創作再入門　目次

イントロダクション　テーマ＝キャラクター＝プロット　7
第1章　テーマとなる原理を見つける　17
第2章　キャラクターを使ってテーマを作る（もしくは、その逆）　33
第3章　テーマをプロットで立証する　57
第4章　脇役を使ってテーマを発展させる　91
第5章　テーマとメッセージを区分化する　117
第6章　サブテキストを深める　129
第7章　シンボリズムで意味を表現する　155

第8章　物語に最適のテーマを設定する　163
第9章　初稿でテーマを描く　179
第10章　読まずにはいられないストーリーを作る　207
付録　五つの主要なキャラクターアーク　237
参考文献　259
訳者あとがき　260

【凡例】

・訳者による補足は〔〕で示した。
・本文中で扱われている書籍において未邦訳のものは、原題のママ記載し（未）と記した。
・書籍、映画、戯曲は『』で示し、ウェブサイトは「」でくくった。
・本文中の引用作品における日本語訳については、既訳があるものは基本的に既訳を参照した。既訳からの引用の場合は、文末の（）内に訳者、出版社、出版年を記した。
・映画は初出時のみ続く（）内に製作年を記した。

イントロダクション

テーマ＝キャラクター＝プロット

昔むかし、キャラクターはプロット〔物語の筋のこと〕に恋をしました。二人は最初から波乱万丈。燃える二人は壮絶な危機にも襲われ、互いに「もう、無理」と心が折れた日もありました。でも、二人を分かつのは不可能でした。絶交したまま一つか二つ、物語を紡いでみても、なんだかつまらない。やっぱり二人はよりを戻します。時を超え、前世でも現世でも、また来世でも、必ず求め合うのです。

遠くから、黙って二人の縁を結びつけようとしていたのはテーマでした。人々の話題がプロット対キャラクターでもちきりだった時も、両者をつなげていたのはテーマだったのです。二人が憎み合っている時でさえ、テーマは仲を修復すべく、舞台裏で苦心して働きました。二人が共にいることに意味を与えたのです。二人がチームになるように。

どんなフィクションにも、この素晴らしい三角関係が働いています。

「鳥が先か、卵が先か」と問うように、書き手はプロットとキャラクターとを天秤にかけようとします。どちらを先に考えるべき？　どちらが大切？　どちらが真の名作の証？

どれも見当違いの議論です。

そもそも、正解などありません。一つはキャラクター主導で描く技法、もう一つはプロット主導で描く技法というだけで、どちらも正当です。それよりも重要な点は、「キャラクターかプロットか」という思考では、全体を俯瞰した時に見えるはずの「三位一体」を見失いがちになること。三角形の頂点にあるテーマは、おぼろげな存在のようでいて、パワフルです。

プロットとキャラクターを一生懸命に考える人は多いのに、テーマが置き去りにされがちなのは、なぜでしょう？

理由はいくつかあります。

第一に、書き手がテーマを別の枠組みとして捉えているからです。プロットとキャラクターは具体的に考えることができますが、テーマは抽象的です。また、プロットやキャラクターの作り方なら、それを学べる講座があるでしょう。それではテーマの作り方はと言えば、「まあ、それは自然に表れてくるから」と、曖昧な態度で済まされることが多いです。

「テーマとは、つかみどころがないものだ」という考えを、まるで宗教のように信仰してしまう作家たちもいます。意欲にあふれた新人が質問をすると（例：「力強いテーマがあるストーリーは、どうすれば書けますか？」）、意味がわからない答えが返ってきます（例：「テーマを書こうとしちゃいけない」）。

この曖昧さは、テーマの機能や相互作用に対する理解不足の表れです。テーマ面での失敗作の中には、あまりにもテーマが前面に出ていて、読んでいて恥ずかしくなるものが多いでしょう。それを反面教師にして学べばよいのですが、そうはせずに、テーマを考えること自体を避けてしまう人がたくさんいます。

力強いテーマが書き手の潜在意識から、自然に生まれる場合も確かにあります。でも、そうした自然な表現の裏には、書き手の意図がきちんと働いています。その意図とは、ストーリーテリングの他の要素を理解して活かそうとすることです。そして他の要素とは、プロットとキャラクターのことを指します。

そこに秘訣があります。プロットとキャラクターアーク〔ストーリーを通して描かれる登場人物の変化の軌跡〕を構築するのと同じように、テーマも構築できるのです。もう、「うまくテーマが表れますように」と神頼みをする日々とはさようなら。「プロットとキャラクターはいいけど、ストーリーとしては駄作」と言われる心配もなくなります。お説教じみた文章で読者をしらけさせることもありません。

それどころか、ぼんやりとしたテーマに光を当てることで、ストーリー創作の指針にできるのです。先ほどは、プロットとキャラクターにテーマを加えて三角関係としましたが、実際は、くるくると円のように循環すると言う方が近いでしょう。ストーリーの「三大要素」として、三者は常に関係性を刷新し続けます。

プロットとキャラクターとテーマは、ばらばらには存在していません。むしろ、ばらばらでは発展など不可能です。ストーリー全体を俯瞰すれば、これらの三大要素が一体となって共生していることがわかるでしょう。

テーマとは、「ふと主人公が口にする、色紙に書かれているような格言」以上のものです。テーマはキャラクターを作ります。テーマによって作られたキャラクターはプロットを生み出します。そのプロットから、またテーマが出現します。現れたテーマはまたキャラクターを発展させ、そのキャラクターがプロットをさらに発展させ、そのプロットは再びテーマに立ち返り……と、永遠に循環しながら育っていくのです。

正直に言うと、その循環について考えるだけでも、私のマニアックな探究心に火がつきます。テーマとは、全体像を俯瞰すると見えてくるパターン。プロットやキャラクター作りに対しても、テーマは高い次元で影響を与えたり受けたりするでしょう。

アメリカの小説家ジョン・ガードナーの古典的名著『The Art of Fiction（未）』にはこう書かれています。

テーマは（中略）ストーリーに課すものではなく、ストーリーの内側から進化するものだ――最初は直感的だが、やがて書き手の知的な行為になっていく。

つまり、書き手であるあなたは、三大要素のどれから考え始めても、それを使って残りの二つの要素にまとまりを生み出せる、ということです。プロットを考えている時は、そこにキャラクターとテーマの種が宿っています。キャラクターを考える時も同じです。伝えたいテーマが最初に思い浮かんだ場合でも、道徳の話のようにはなりません。パワフルなメッセージを「語る」代わりに、プロットとキャラクターを使えば「描く」力が得られるからです。

全体を俯瞰して、プロットとキャラクターとテーマの三者を眺めることに慣れてくれば、どれか一つを練っている時も、三者を分けて考えるのが逆に難しくなるでしょう。

ストーリーテラーの最終的な目的は、一枚の大きな絵のような作品を読者に提示することです。そのためには、頭の中でその絵を分解し、どんなパーツがあるかを把握することが重要でしょう。それだけでも「テーマとは曖昧なものだ」という印象は消えるはずです。ストーリーを作る大きなピースと、そうでないものとが見分けられたら、三者の相互関係がわかりやすくなります。

もちろん、そこには深くて繊細なニュアンスがあります――これからお話しすることには、プロットの構成やキャラクターアークなど、すべてが包括されているからです。では、手始めに、ストーリー全体を三つ（と半分）の層に分けてみましょう。

1a．プロットに表れるアクション

主人公（と、他のキャラクター）の能動的な動きと反応。ストーリーの中で起きる出来事であり、キャラクターが体験し、（小説の場合）読者が視覚化するアクションです。

▼例

南北戦争に従軍中のインマンは、戦場を抜け出して故郷に帰ろうとする。（チャールズ・フレイジャー作『コールドマウンテン』）

作家のジュリエットは島民たちに話しかけ、第二次世界大戦中に起きたことを聞き出そうとする。（メアリー・アン・シェイファー作『ガーンジー島の読書会』）

弁護士のシドニー・カートンは亡命貴族のチャールズ・ダーネイを救おうとする。（チャールズ・ディケンズ作『二都物語』）
主人公カラディンは奴隷として、破砕平原で延々と続く戦争で戦う。（ブランドン・サンダースン作『王たちの道』）

1b．メインコンフリクト（物語の中心となる対立や葛藤）

メインコンフリクトは「1a．プロットに表れるアクション」とも重なりますが、実現の仕方が異なる面もあるため、ここでは分けておきます。「プロットに表れるアクション」は行動や出来事ですが、メインコンフリクトは内面の動きを示すことも多いです。言い換えれば、それは主人公が解き明かすべき謎のようなもの。その言葉通り、物語の中でミステリーとして示すこともあれば、プロットでの最終目的地を目指す主人公が出会う対立や葛藤、結果で表現することもあります。

▼例
インマンは手探りで山道を進み、途中で人に見つかるたびに対処をし、故郷に戻る手立てを考える。（『コールドマウンテン』）
ジュリエットは島民から話を聞き出す方法を探しながら、読書会の創設者エリザベス・マッケンナが島から失踪した謎を追う。（『ガーンジー島の読書会』）

カートンはフランスに行き、ダーネイを救う計画を考える。（『二都物語』）
カラディンはまず奴隷として、次に兵士として、生き延びる方法を考える。（『王たちの道』）

2. キャラクターアーク

キャラクターアークは内面の葛藤の表れです（主人公のものだけとは限りません）。この内面の葛藤は「1a．プロットに表れるアクション」である対外的な衝突に影響を与えたり、影響を与えられたりして変化します。

ここまで「1a．プロットに表れるアクション」から順番に、表に現れやすい層から挙げていることに注目して下さい。順を追うほど層が深くなり、ストーリーの核心に近づいていきます。プロットで描くアクションとは、結局、キャラクターの心の奥深くにあるものを表す暗喩（メタファー）だと考えて下さい。これが理解できれば、抽象的なテーマをストーリー上に描き出すための重要な鍵の一つを手に入れたことになります。

▼例

インマンは南北戦争への疑問が拭えず、恋人エイダが待つ故郷に戻りたくて苦悩する。（『コールドマウンテン』）

ジュリエットはガーンジー島が好きになり、特に、読書会のメンバーである温和で無口なドーシーに惹かれる。（『ガーンジー島の読書会』）
ダーネイを救おうとするカートンは、ダーネイの妻ルーシーへの想いを断ち切らねばならず、苦悩する。（『二都物語』）
カラディンは奴隷となった自身の運命に対する嘆きや憎しみと、自らの天性の高潔さや指導者としての才能との間で葛藤する。（『王たちの道』）

3．テーマ

最も深い層にたどり着きました。テーマはストーリーの層の中では最も見えにくいものですが、最も重要な層でもあります。前に挙げた浅い層にあるものすべてを包括する層だからです。主人公のキャラクターアークとプロットに表れるものの根底には、テーマの「真実」と「嘘」をめぐる象徴的な議論があります（この議論が内面で起きているために、キャラクターは成長の必要に迫られます）。

▼例
戦争によって引き離されたインマンとエイダの苦しみと、はかない再会を通して、苦悩する意味とは何かが内面的なテーマとして描かれる。（『コールドマウンテン』）

島の人々の素朴な勇気や誠実さに惹かれ、ジュリエットは自らの人生の目的と意味に気づく。（『ガーンジー島の読書会』）
ダーネイのために自らの命を差し出すカートンは、悲しい人生を受け入れて「今までにしたどんなことより、ずっと、ずっといいこと」を成し遂げる。（『二都物語』）
悔しさや憎しみを懸命に乗り越えるカラディンに応えるように、人々は賛否両論を唱えながらも、ついに彼を支持。カラディンはリーダーとして、人々のために身を捧げる決意を固めていく。（『王たちの道』）

表面に表れやすい順序（プロット→キャラクター→テーマ）で挙げましたが、ストーリーを構築する上での重要度で順番を並び替えると、実はその逆になります。

どんなタイプのストーリーを書く場合も、三大要素（プロット、キャラクター、テーマ）のバランスが成功の鍵です。どれか一つを発想し、アイデアを練る時も、三大要素を総合的に考えながら詰めていくことが必要です。それができればテーマに光が当たり、ストーリーに深い意味や目的を持たせることができるでしょう。

第1章 テーマとなる原理を見つける

「壮大なスケールの本には壮大なテーマが必要だ。
貧弱なテーマで大作を書こうとした例は多いが
それでは大作のボリュームを支え切れない」
――ハーマン・メルヴィル

言葉の中には「果てしない言葉」だと思えるものがあります。物事の本質を突き、説明しきれないほど多くを伝える言葉です。詩にふさわしい言葉でもあります。たった一語が詩になるような言葉はたくさんあります。

「テーマ」も、その一つです。

それは生涯をかけても学び尽くせず、年月が経っても色褪せません。悶々と考え続けて「見つけたぞ。ついに、わかった」と思っても、見えているのはある一面だけ。ぼんやりとしながらも、崇高なものであるテーマが見せる顔は、まだまだたくさんあるのでしょう。

楽しいです。

そして、はがゆいです。

書き手にとって——また、どんなアーティストにとっても——果てしないテーマとの終わりなき関係は、宇宙を理解しようとして夜空を見上げることに似ています。私たちは執筆の時も大変な思いをするものですが、テーマについて考える時もまた同じ。そして、「努力することに意味がある」などと思って自分を励ましたりします。

テーマの創作法の習得が難しいのは、それを語るのが難しいためでもあります。テーマとは壮大で抽象的ですから、語る人によって定義が少しずつ違ってきます。私は長年、ツイッターやフェイスブックで「本日の質問」という投稿を続けてきて、その違いに気づきました。たまに、私は「あなたの物語のテーマは何ですか？」という質問を出しているのです。

人によって、回答の書き方はさまざまです。たった一語、たとえば「責任」と簡潔に答える人もいれば、一語で表せずに苦労する人もいます。私自身はその質問に答えるために、主要キャラクターがプロットを通して心の中の「真実」とどう向き合うかを見るようにしています。一方、物語の中ではっきりと表に出ないトピックや繰り返し出てくるモチーフを見つけようとする人々もいます。

このように、一つの質問に対して微妙に異なるアプローチがいろいろあると、迷うのも当然です。どのアプローチも間違いではなさそうですし、実際、どれも正しいです。なぜなら、どれも決定的ではないにしろ、ストーリーを広く俯瞰する視点を得ているからです。また、どれも自分の創作を意識的に分析し、完全にするための評価基準になっています。

これから各章で、プロットとキャラクターを通してテーマを眺め、「三大要素」の総合的な表現を目指していきます。創作にまつわる作業はさらに具体的になり、物事がはっきりしてくるでしょう。その前に、テーマそのものに注目したいと思います。

「テーマそのもの」を端的に定義すると、次のようになるでしょう。

　テーマとは統一性をもたらす着想や題材。パターンの繰り返しの中で探求され、比較や対比によって範囲が広がる。

フィクションの分野では、テーマはただの「教訓」と捉えられがちですから、他の分野に置き換えてみましょう。たとえば音楽は、精神やイマジネーション、感情の体験だけでなく、フィジカルな体験も与えてくれます。音楽は言葉を使わずに、ストーリーや真実を伝えます。

フランスの作曲家ピエール・シェフェールはこう言っています。

音楽は、大昔からなされてきたように、テーマにバリエーションを持たせて表現される時に、真の性質を露わにする。音楽の謎が解明されるのは、その時だ。

これはストーリーにも当てはまるかもしれません。私たちが書き連ねる思考やアクションや感情は、みな結局はテーマの表現です。プロットとキャラクターは、作者の隠れた（そして、時には無意識の）アイデアを描くための枠や飾りに過ぎません。それらが普遍的な真実と共鳴すれば、プロットやキャラクターという枠を超え、テーマとして読者に伝わります。

物語のテーマとなる原理とは？

テーマを最も単純に表すには、その原理を一語、あるいは一文で掲げます。どちらにしても、それはストーリーの「まとめ」であり、あなたがストーリーを通して模索したい、普遍的な「真実」です。

この「真実」には、次のように、いろいろな形があります。

● **人々の間で広く共通する考え**（例：「戦争は悪だ」）を立証しようとするか、**広く受容されている考えの否定**を試みる（例：「戦争は必要悪だ」）。

● **人間の存在を深く問う**（例：「我々はなぜ存在するか？」）。または、**潜在的な価値観**について考える（例：「愛は何よりも大切だ」）。

● 暗黙のうちに、または明確に**答えを示す**（例：「愛はすべてに勝つ」）。あるいは、ただ**問いを提示する**（例：「愛はすべてに勝つか？」）。

● **倫理的なジレンマ**に焦点を当てる（例：「自分を守るためなら他人を犠牲にしてもよいか」）。または、**特定のパターン**だけに焦点を当てる（例：「スラム街の生活」）。

● **意見**を述べる（例：「ナチスは非人道的だった」）。あるいは、**観察**に徹する（例：「ホロコーストでの出来事」）。

●**崇高な**真実（例：「人生は素晴らしい」）、または**平凡な**真実を示す（例：「高校は大変だ」）。
●**楽観的**（例：「人生は素晴らしい」）、または**悲観的**（例：「人間は身勝手だ」）な真実を示す。

テーマとなる原理は曖昧ではいけません。「名作の中にもテーマが曖昧なものがあるじゃないか」と言いたくなるかもしれませんが、優れたテーマが「わかりやすく、でかでかと」表現されることはほとんどありません。ストーリーがうまく成立していれば、そのテーマがどれほどささやかでも曖昧にはされず、偶然にでもなく、きちんと組み込まれているものなのです。

テーマがよくわからない作品の中には、作者自身がテーマをよく理解しないで書いたものもあります。しかし、そうでない作品は、見えないレベルで隅々にまでテーマが浸透しています。両者の間には大きな違いがあります。

私が好きな映画の一つはジョン・スタージェス監督の『大脱走』（一九六三年）ですが、テーマは何かと考えても、すぐにはわかりませんでした。私はいつも、主人公がどんな「真実」をめぐって変化するかを見てから、ストーリーの中でそれを反映する言葉を探すようにしています。でも、『大脱走』のような作品では、さほど簡単には見つかりません（これについてはすぐ後で述べます）。

「テーマとなる原理」は、あっけないほど単純かもしれません。でも、単純だからこそ価値があります。極限まで煮詰めたエッセンスを作品全体の指針にできるからです。

表現したいテーマが決まれば、シーンやキャラクター、偶発的に表れたシンボリズム〔象徴的な表現〕などと照合し、テーマと関係しているかどうかが確認できます。すべてのピースをまとめていけばテーマは力強くなり、プロットとキャラクターアークは自然にそれを醸し出すようになります。わざわざテーマを説く必要はなくなるでしょう。

これから述べていくように、テーマだけを思いつくことは、あまりありません。テーマになりそうなアイデアは、プロットやキャラクターのアイデアと共に生まれてきます。ですから、テーマを必死で考えなくても大丈夫。プロットの要点とキャラクターの変化に注目していれば、目指す方向性が見えてくるでしょう。

あともう少しだけ、テーマの話題に限定して続けます。プロットとキャラクターアークのどこを見ればテーマがわかるのか、いくつかのポイントについて考えていきましょう。

テーマとなる原理の見つけ方

再び『大脱走』の話に戻ります。この映画は第二次世界大戦中の史実に着想を得たストーリー。ドイツ軍の捕虜となった兵士たちが、収容所からの脱走を企てる話です。キャストは大人数ですが、物語は出来事をメインに展開します。このような作品では、何が「テーマとなる原理」なのでしょう？　歴史的な脱走計画の他に、いったいどんな「真実」を訴えているのでしょうか？

『大脱走』を見ていると、書き手がテーマを意識せずに書こうとする理由がわかるような気がします。

テーマの表現が巧みだと、観客はそれを言い表す言葉を見失うからです（コープランドのバレエ音楽『ロデオ』やホルストの組曲『惑星』のような名曲を聴いて、テーマがすぐに言えないのと同じです）。私たちがなかなか言葉で説明できないと感じるのは、作品のテーマがこまやかに、巧みに編み込まれているからです。作者がテーマを知らずに書いていることは、ほぼ、ありません。

誰かの作品を分析する時も、自分の作品について考える時も、まずエンディングに注目して下さい。ストーリーの主張は必ずそこに表れています（自然に着地する作品もあれば、最後にテーマを語って着地をもくろむ作品もあります。後者はテーマを支えきれていません）。ストーリーのテーマは「クライマックスの瞬間」ではっきりと、あるいはかすかに表れているはずです。その後に「解決」のシーンがあり、説明を補って終わる場合が多いでしょう。

エンディングを見て作品の主張が把握できたら、そこに至る筋道を振り返って下さい。全体的に、テーマを示す表現が見てとれるでしょうか？　答えが「いいえ」なら、その物語はテーマをうまく描けていないかもしれません。または、抽象的なテーマを具体的に表現する際の選択を誤っている可能性があります。表現の仕方を再検討することが必要です。

私は『大脱走』のテーマを「人間の精神は不屈である」だと考えました。結局、ほとんどの脱走兵が死ぬか、あるいは捕虜収容所に連れ戻されるので、「どこが不屈なんだ」と思えなくもありません。でも、ストーリーの本質を示すシーンが二つあります。

その一つは、ジェームズ・ガーナー演じる兵士が、脱走作戦など無意味だったのではないかと問う場面です。それに対して、上官は、こう答えます。

「考え方次第だ、ヘンドリー」

そのセリフのすぐ後に、脱走に失敗した兵士が収容所に連れ戻されてきます。スティーブ・マックイーン演じるこの兵士は、苦々しい表情の収容所所長（解任されて軍法会議にかけられる）とすれ違い、ニヤリと笑います。意気揚々と独房へ向かう姿に重ねて流されるエンディング曲は、軽快ながらも誇らしげ。失敗を敗北と捉えないことを強調しています。

テーマの原理を冒頭からプロットとキャラクターに反映していけば、どのシーンにもテーマを共鳴させることができます――それは非常にかすかな表現だからこそ、パワフルな影響力を生みます。「語り」ではなく「描写」でテーマが表現できるのです。

それでも、テーマをどう認識するかは、理論化しづらいものです。人によって言い表し方も異なるでしょう。でも、それは、一つの原理をいろいろな視点で捉えているに過ぎません。『大脱走』のテーマも、人によって「人間の不屈の精神」や「純粋な愛国心」など、いろいろな表現があり得ます。

テーマとなる原理はテーマの本質です。それはストーリーに対するさまざまな解釈の中核をなすアイデア。また、テーマを考え、発見していく出発点となるのが、この「原理」なのです。

暗喩としてのテーマの力

テーマとなる原理の見当がついたら、ストーリー全体を眺めていきましょう。テーマをプロット全体に編み込むには、どうすればいいのでしょうか？　プロットではキャラクターが冒険を繰り広げています。その冒険とは、裏に隠れている意味を表す「テーマの暗喩（メタファー）」だと考えて下さい。

優れたクリエイターの作品はプロット重視のようでいて、実はとてもテーマ性が高いです。そして、受け手にはそれとは気づかせず、深く感じさせ、考えさせます。彼らはまるで「見えない糸」を操るように、高度に洗練された暗喩によって、テーマとプロットを縫い合わせているのです。

実は、みんな、しょっちゅう暗喩を使っています。あるものを別の何かにたとえて書く時にも、ごく自然に使われているテクニックです（書き手の技法をまとめて「道具箱」や「ツールボックス」と呼ぶように）。言ってしまえば、ストーリー自体も大きな暗喩に他なりません。架空の人々に架空の冒険をさせて、現実のたとえ話をしているようなものです。

文章とストーリー全体の間のどこかで、繰り返し表れるパターンが見つかるはずです。テーマは抽象的で、目に見えません。それを何かにたとえて、具体的に表現したものがプロットです。暗喩がパワフルな技巧として働いているわけです。

暗喩としてのストーリーには、たとえ方の程度によるバリエーションがあります。

最もはっきりした暗喩は**アレゴリー**と呼ばれます（例：『ライオンと魔女――ナルニア国ものがたり〈1〉』や『動物農場』など）。ある特定のものを何にたとえているかが明らかにわかります（『ライオンと魔女』はキリスト教、『動物農場』はロシア共産党）。

最も曖昧にぼかした暗喩は**事実に基づくストーリー**や**実録ドラマ**です（例：『大脱走』や歴史小説『この私、クラウディウス』など）。実際の出来事から意味を考えさせ、そこからテーマを感じ取らせます（余談ですが、成功作と失敗作の差は大きいです。失敗作はプロットの出来事をテーマの暗喩にせず、ただ出来事を描くだけで終わっています。ロン・ハワード監督の『白鯨との闘い』（二〇一五年）は実話を基にしたメルヴィルの小説『白鯨』に着想を得ていますが、小説の方に見られる暗喩や深いテーマに比べると、どうしても見劣りしてしまいます）。

他にも、暗喩はさまざまな度合いで使われます。**伝承**や**冒険譚**、**寓話**（作家ジョン・ガードナーによる分類）では非現実性（ファンタジー性）が濃くなるため、暗喩としての表現がはっきりと見てとれます。

たとえば、普遍的な**アーキタイプの型に沿うフィクション**（**ジャンルもの**）には基本的なテーマがすでにあり、昔からある暗喩の表現が用いられます。ディテールの描写に見られるのも、ニュアンスや皮肉、逆転や反転といったおなじみの手法です。神話学者のジョーゼフ・キャンベルが唱えた「英雄の旅」（神話の中で描かれる物語の流れを理論化したもの）を踏襲したアクションものも、ハッピーエンドで終わる恋愛ものも、ある程度の「お約束」の暗喩の仕方が存在します。

日本のアニメーション映画『おおかみこどもの雨と雪』（二〇一二年）は、暗喩に富むテーマを型破りなストーリーに仕上げています。狼人間との間に生まれた子どもたちを、シングルマザーが世間にそれと知らせずに育てる物語です。コンセプトがはっきりしていますから、ジャンル性が高い作品（冒険アクションや恋愛ものなど）にすることもできたでしょう。しかし、作り手はゆったりと、ほとんど「文芸的に」育児の場面を連ねています。母親が懸命に子どもたちを守り、与え、巣立ちの準備をさせる姿が鮮やかに描かれているのです。

登場するのは狼人間に特有の試練に出会う二人の子どもたちと、彼らを育てる一人の母親。ファンタジーの要素は抑え、リアリズムを重視した描写がなされています。かなりストレートな表現です。

エンドロールで「思い出」の場面を次々と振り返る頃、私たちは「この物語で見てきたことは、親なら誰しも体験することと同じだな」と気づきます。「おおかみこども」の話は万人が育児によって体験する驚きと、手に負えないほどの大変さの暗喩だとわかるのです。

テーマを暗喩で表すための三つの質問

最初にテーマのようなものを思いつく場合もあるでしょう。そうであれば、それを暗喩として表現するプロットを作ればいいのです。しかし、たいていはプロットとキャラクターを先に思いつく方が多いため、作業は少々複雑になります。なぜなら、それらの発想をふくらませながら、暗喩としての表現にするには限界があるからです。作りかけのプロットをたびたび覗き込んでは、そこに表れるテーマを見つけなくてはなりません。

これは繊細な作業ですから、できるだけ自然に進めて下さい。三つのお手玉を操るようにして、プロットとキャラクターとテーマをバランスよく見ていきましょう。一つを取ったら隣へ移し、次の玉を取ってはまた移し、といった具合です。

この時に、テーマを表現しようとして頑張り過ぎないことが大切です（倫理が前面に出過ぎてしまいます）。また、プロットを作る時にテーマを意識し過ぎないよう、気をつけましょう（議論がわざとらしくなります）。プロットとテーマの両方を慎重に吟味し、比重を確かめ、「感じ」ながら、相互のつながりを見つけて下さい。

プロットには、何らかのテーマが秘められているものです。キャラクターに冒険をさせながら、そのプロットは何の暗喩になっているかを考えましょう。適切な問いをすれば、よい答えが導き出せます。

まず、次の三つの質問から始めましょう。

１．遠くからストーリーを眺めると、何が見えてくるか？

物語を新しく考え始めたばかりの時でも、細部に夢中になることはよくあります。キャラクターや人間関係、アクション、一つひとつのシーンなどを注視してしまうのです。キャラクターアークまで考える人もいます。

でも、それらはみな、物語というモザイク画を作るための小さなかけらです。結局、自分が何をしているのかは、後ろに引いて全体を眺めなくてはわかりません。

近くで見れば、一八二〇年に起きた捕鯨船エセックス号の沈没事件は、凶暴なクジラが船を破壊しただけの話です。映画『白鯨との闘い』もその域を出ていません（まとまった描写ができていない例とも言えます）。一方、ハーマン・メルヴィルは、引いた視点から事件を眺めて小説を書きました。神や宿命と向き合い、生きることの意味を求めて闘う男の執念を暗喩として表現し、不朽の名作に仕上げています。

面白いセリフや人物、シーンも大切ですが、「木を見て森を見ない」状態に陥らないように注意しましょう。いわば、森はストーリー。森全体を眺めてこそ、テーマが見えてきます（そして、立証できます）。

2. そのストーリーはどんな姿をしているか？

プロットからテーマを炙り出すには、物語のパーツが見せるパターンを探します。点ではなく、線で見ること。プロットがふくらむにつれてキャラクターのアクションも増えますから、何らかのパターンが表れやすくなるはずです。

この方法は、どれも同じに見えがちなジャンルものにも効果的です。恋愛ものならどれも「恋をする」話だと決まっていますが、キャラクターと、キャラクターの行動について、そのストーリーが独自に持つパターンがわかればテーマも見えてきます。『ジェーン・エア』は『高慢と偏見』とは違うし、

『好きだった君へのラブレター』（二〇一八年）と『きっと、星のせいじゃない。』（二〇一四年）も違います。シリーズものも同様です。シリーズ全体のテーマが何であれ、それぞれのストーリーは具体的な出来事に基づき、独自のテーマを示します。

まず、キャラクターたちを見て下さい。彼らの共通点は何でしょうか？　似ているところだけでなく、正反対の特徴も探しましょう。実は、共通点を浮かび上がらせるヒントはそこにあります。

次に、キャラクターたちの人間関係を見て下さい。互いの比較や対比をする中で、繰り返し浮上してきそうな問題が潜んでいるでしょうか？

さらに、一つひとつのシーンや出来事を見て下さい。何度も表れているパターンは、見つかるでしょうか？　ストーリー全体の姿が見えますか？　ストーリーに出てくるものの大半が、何か深い意味を示しているとすれば、それは何でしょうか？

今は答えがわからなくても大丈夫です。もう少し構想がふくらめば、パターンが見えてくるかもしれません。構想はふくらんでいるのにパターンが見えない場合は無意味なものを取り払い、意味のあるものに力を注いで下さい。

3．飾りを極限まで削ぎ落とすと、何が見えるか？

これは重要な問いですが、誤解しやすいものでもあります。「どんな物語であるかを一旦脇に置き、何について語るのかを考えなさい」という意味合いだからです。

ただ、そこまで深く考えなくても大丈夫。むしろ、飾りを取り払うことがポイントです。ストーリーがまとう華美な服装やウィッグ、メイクを取り除き、素肌を見ましょう。そして、素肌の奥にある骨格だけを見るのです。

目先の飾りを取り払うと、ストーリーの骨格はどう見えますか？

骨格を見るには、構成に注目するのが一番です。主要なプロットポイント（話の筋が大きく転換するところ）を全部、挙げてみましょう。それらがストーリーについて、本当に伝えようとしていることは何でしょうか？　それらは辻褄が合うように並んでいますか？　すべてのピースが「何についてのストーリーか」と「どういう意味か」という問いに一貫して答えているでしょうか？

さらに考えていきましょう。キャラクターの動機は？　目的は？　能力は？　弱点は？　それらは辻褄が合うように並んでいるでしょうか？　どんなパターンが表れていますか？

面白くて楽しいアイデアの下に、ストーリーの普遍的な土台が隠れています。心に響く普遍的な真実が、きっと見つかるでしょう。その真実を極限まで掘り下げると、とてつもなく大きなものであるはずです。また、その縮小版のような、小さな真実も見つかるでしょう。それらの「真実」こそ、あなたのストーリーが語ろうとしているものです。その「真実」の暗喩として、ストーリーに独自のパターンを持たせ、アクションとして具体的に描いていきます。

第2章
キャラクターを使ってテーマを作る（もしくは、その逆）

「人格は、やさしい静寂の中では育ちません。試行と苦悩を体験してこそ強くなり、ビジョンは明確になり、野心が生まれ、成功できるのです」

――ヘレン・ケラー

テーマが魂で、プロットが思考だとすれば、キャラクターとは心。つまり、感情です。いつの時も、キャラクターはストーリーの生命力なのです。

「どんなストーリーを書いているの？」と尋ねられて、プロットを答える人たちはこう言います。「世界滅亡の話だよ」

テーマを答える人たちはこう言います。「大勢の命を救うために数人が犠牲になるべきかどうかの話だよ」

どちらも、キャラクターについては明らかにしていません。

もちろん、三つめの答えは「宇宙飛行士の話だよ」というように、キャラクター像を述べることです。世界滅亡の危機の話でも、面白くするには登場人物が必要です（あるいは擬人化したキャラクター。『ウォーターシップ・ダウンのウサギたち』は人間のように思考や感情を持つウサギたちが大災害を生き抜こうとする、非常に読みごたえがある物語です）。何かをする（＝プロット）人々（＝キャラクター）がなければストーリーは生まれません。両者が揃い、リアリティ（＝テーマ）について何かを伝えることができるのです。

プロット、キャラクター、テーマの三大要素は相互に関わり合い、「テキスト」と「文脈（コンテキスト）」、そして「サブテキスト」を生み出します。

プロットで描く対立や衝突は、ストーリーの中で最も視覚的な水準にあります。これが**テキスト**です。キャラクターアークに表れる内面の葛藤は、ストーリーの精神的な水準にあります。これが**文脈**です。プロットの出来事について何かを語る、最初の層になります。キャラクターたちが、それぞれの心の葛藤を通して出来事を見ることで、異なった意味合いが表れます。

テキストと文脈をそれぞれ円の形にして並べ、近づけた時に重なる部分にテーマが宿ります。目に見えるような表現はなされず、言及もされないかもしれません。たとえ無言の状態でも、そこに**サブテキスト**が生まれます。テキストと文脈の表現次第で、サブテキストはしっかりと意味を持ってそれらを支えたり、皮肉な意味を重ねたりします。

つまり、キャラクターとプロットを関わり合わせると、そこにテーマのサブテキストが生まれるということ。これは百パーセント、正しいです。でも、逆に考えると、テーマに注目をしてキャラクターを動かし、キャラクターアークを作り出すことも可能です。

キャラクターアークがきちんとできていれば、そこにはテーマも自然に表れています。キャラクターアークを考えることは、テーマについて考えることと同じだからです。キャラクターアークについて、詳しくは前著『キャラクターからつくる物語創作再入門』と、その実践版ワークブックの『Creating Character Arcs Workbook（未）』で解説していますので、この章ではそれをふまえて話を続けていきます。この本の巻末にも、付録として五種類のアークの構成をまとめてありますので、参考にして下さい。

ひとまず、いかにテーマがキャラクターアークを作り、いかにキャラクターアークがテーマを作るかをご説明しましょう（どちらが先かは書き手次第で柔軟に変わります）。私は便宜上、部分に分けてお話しをしています。前の第1章ではテーマの見つけ方を挙げ、この後の第3章ではテーマをプロットでどう表現するかを取り上げますが、テーマもプロットも、さらに大きな融合体に属しています。テーマとキャラクターとプロットの三大要素は、どれも分けては作れません。そこで書き手がすべきことを、私は「ちょこまか動く（bob and weave）」と呼んでいます。表現したいテーマがだいたいわかったら、たとえば、次はそれをプロットでどう展開させるかを考える。すると、それに合わせてキャラクターを発展させたくなる。キャラクターが発展すれば、プロットを見直してまた考えたくなる——というように、進んだり戻ったりを繰り返すのです。テーマが少し発展するたびに、キャラクターとプロットも発展させるべきです（「ちょこまか動く」の実践については第9章で詳しくお話しします）。

テーマを使ってキャラクターアークを作るには？　また、キャラクターアークを使ってテーマを見つけ、強化するには？　次の五つの項目を使ってあなたのストーリーからテーマを探し出し、アイデアを調和させ、一つにまとめて下さい。

1. テーマの原理についての問い

第1章で述べたように、テーマを端的にまとめれば本質が表れます。一つの言葉に集約したり、短い文にしたりと、表し方はさまざま。ですが、テーマを見ながらキャラクターアークを作るなら、キャラクターの内面にある葛藤や矛盾に注目して下さい。

とりたてて善悪を問わないテーマであっても、根底には「中心となる問い」があります。その問いが主人公のキャラクターアークを作ります。最後にはっきりとした答えが出せる場合もあれば（例：『オズの魔法使い』の主人公ドロシーが「おうちが一番だわ」と気づく）、暗黙のうちに深いレベルで伝わる場合もあります（例：前述の『大脱走』の「人間の精神は不屈だ！」）。どちらの場合も、その答えを探す旅を見れば、主人公の内面の葛藤がどのようなものかがわかるでしょう。

▼例

チャールズ・ディケンズ作『クリスマス・キャロル』のテーマとなる問いは「人の値打ちは何で決まるか？」。

チャールズ・ポーティス作『勇気ある追跡』のテーマとなる問いは「正義の責任は自分で負うべきか？」。

マリオ・プーゾ作『ゴッドファーザー』のテーマとなる問いは「家族を守るためなら、どんな手段を使ってもよいか？」。

2. 内面の葛藤——その1：「嘘」対「真実」

テーマは「真実」を仮定して問いかけるものです。倫理観（例：「善人であることの意味は何か？」）や存在（例：「人生とは何か？」）についての問いに対して、「真実」を物語の中で示唆していくのです。

物語の中では本当ではないことも浮上します。つまり、それが「嘘」です。では、「真実」と「嘘」をどう描いていくべきでしょうか？　くれぐれも、「これは『真実』で、これは『嘘』です。というのも……」などと長い説明をしないこと。読んでいる読者の中で具体化されるように描写しましょう。「真実」が現実になったらこうなる、といったシミュレーションを披露するのです。その「真実」は、緊迫した状況下でも、持ちこたえられるのか？　「真実」と「嘘」がそれぞれキャラクターにどう作用するかで、問いの答えが「立証」（または反証）されます。

「外に表れる対立」には敵対者が関与します。主人公と敵対するキャラクターやシチュエーションが、物語の中の大きな目的への歩みを邪魔するでしょう。一方、「内面の葛藤」は精神や心、魂の戦場です。

どのタイプのアークでも（付録を参照。ポジティブ、フラット、ネガティブの三種類に大別されます）、キャラクターがポジティブな結末へ到達するには物語の中心となる「真実」が必要です。その「真実」を受け入れて心の迷いを払拭すれば、主人公の周囲の問題も解決に向かいます。「嘘」に固執したままでは、せいぜい、むなしい勝利しかできません。

▼例

守銭奴だったスクルージは「人の値打ちはお金で決まる」という「嘘」を乗り越え、「人の値打ちは慈善心と友愛で決まる」という「真実」を受け入れる。（『クリスマス・キャロル』）

父親を殺された少女マティ・ロスは「違法行為を野放しにすると社会が無秩序になる」という「真実」を貫き、周囲の大人たちや社会に大きな変化を巻き起こす。（『勇気ある追跡』）

マフィアのボスの息子マイケル・コルレオーネは「目標達成のためなら汚職や暴力も正当化される」という「嘘」を結局、受け入れる。（『ゴッドファーザー』）

3．内面の葛藤――その2：「WANT」対「NEED」

抽象的なテーマを具体的なプロットで表現するために、キャラクターアークに注目しながら次のステップに進みましょう。「嘘」と「真実」の戦いを、キャラクターの「WANT」と「NEED」に置き換えます。

キャラクターがプロットの中で追い求めるWANTの根底には「嘘」があります。変化のアークでは、「嘘」が生んだWANTがプロットの目的地に直接的な影響を及ぼします。フラットなアークの主人公は最初から「真実」を信じ、周囲のキャラクターたちは「嘘」を信じています。彼らの「嘘」は歪んだWANTを生み、主人公にとっての障害になります。それに対して主人公は戦わなくてはなりません。NEEDは常に「真実」。「嘘」を信じ込んでいるキャラクターに「NEED＝必要」なのは「真実」です。WANTと同じく、NEEDも具体的な物や人、特定の状態として、プロットの中で表現されることがよくあります。

▼例

スクルージのWANTは「お金儲けがしたい」という思い。彼のNEEDは人々を思いやり、愛すること。（『クリスマス・キャロル』）

マティのWANTは「父を殺した犯人に裁きを受けさせたい」という思い。それは無法者を野放しにする社会のNEEDでもあるが、彼女が雇う保安官たちの自堕落さが足枷になっている。（『勇気ある追跡』）

マイケルのWANTは「家族を守りたい」という思い。彼のNEEDは犯罪行為に手を染めないこと。（『ゴッドファーザー』）

「自分との戦い」を描く物語は、いつの時代にも存在します。その葛藤は普遍的であり、あらゆる物語の根底にあるからです。

キャラクターが周囲と対立や衝突を繰り返すのは、自分がほしいもの（WANT）と、本当に必要としているもの（NEED）の矛盾——認知的不協和（自身の認知とは別の、矛盾する認知を抱えること）——を外部に投影しているからです。心の中で二つのWANTや二つのNEEDがせめぎ合うことさえあります。折り合いをつけるために、キャラクターは心の声の一つひとつに耳を傾け始めます（事実を正確に反映する声もいくつかありますが、正確でない声も含めて、すべてが激しい声です）。そして、キャラクターは次のような過程をたどり、真の自己理解と自己実現に向かいます。

1. 自分の心の声一つひとつに耳を傾ける。
2. 真の動機を自分で認める。
3. 自分の望みや動機を健康的なものと不健康なものとに分ける。
4. 健康的でありながら矛盾する部分の解決策を見つける。
5. 何かを優先するために、何かをあきらめる。
6. あらゆる選択との調和を図る。
7. 選択に基づき、全面的に納得できる行動をする。

書き手とキャラクターの意識の大部分は、心の動きを描くのに向かっているかもしれません。でも、そうした心の葛藤は、書き手やキャラクターの内だけでなく、シーンの裏側やプロットの水面下でも起きています。キャラクターが内に抱えているものを外の世界に反映し、投影したものがプロットです。WANT（「嘘」の価値観）とNEED（「真実」の価値観）の矛盾から、キャラクターの内面にある葛藤を考えてもいいでしょう。白黒をはっきり分けてみれば、キャラクターの内面の動きを把握するのに役立ちます。そこからさらに深く探っていけば、簡単には白黒を分けられない心情を感じ取ることができるでしょう。

キャラクターが追い求めるWANTとは？

単純に言えば、キャラクターが追い求めるもの（WANT）とはプロットの目的地です。物語全体を俯瞰すると、WANTは第二幕での対立よりも前からキャラクターの中にありますが、それは直接、キャラクターが進むプロットの目的地に集約されます。

▼例

ルーク・スカイウォーカーのWANTは、孤児としての寂しい境遇を抜け出し、広大な銀河へと旅立ち意味と目的がある人生を見つけること。『スター・ウォーズ　エピソード４／新たなる希望』（一九七七年）では、「フォースを学んで父のようなジェダイになる」というルークの思いが何度も表現されている。この希望は旧三部作を通して発展し、彼のアーク全体の枠組みとなっている。

どの変化のアークでも、WANTはキャラクターの「嘘」を暴きます。WANT自体は悪いものとは限りませんが（後で詳しく説明します）、その裏にある思考や動機はネガティブです。「嘘」が生む心の穴やこだわりがキャラクターの内面にあるからです。すこやかな生き方は妨げられており、キャラクターは精神を病んだり、倫理に背いたりする方向に導かれることさえあります。

キャラクターが抱えるまやかしである「嘘」と、本人にも理由がわからない動機。その根源を探って過去にさかのぼると、心の穴やこだわりの原因を作った「ゴースト」に出会います。

…………………………

▼例

ルークの「ゴースト」は孤児であること。ぽっかり空いた心の穴は、偉大な父を亡くしたことが大きな原因。

ルークの「嘘」は、自分も父のようになるべきだという思い込み。それが心の穴を埋め、自己肯定感を与えてくれると信じている。この間違った信念に駆り立てられて、ルークは現状にますます不満を募らせ、冒険と栄光を求めるようになる。

…………………………

「嘘」とWANTはつながっていますから（次の項で述べますが、NEEDと「真実」も同じです）、「WANTは悪い」とはっきり言っているように見えるかもしれません。

確かにそういう場合もあります。キャラクターが求めるものが、明らかに破壊的で邪悪な時もあるでしょう。そうだとしても、キャラクター自身がそれをはっきり自覚することはめったにありません。そもそも、追い求めるのは価値があると思っているからですし、手に入れるための手段を正当化して疑いません。詩人で文芸評論家のＴ・Ｓ・エリオットはぞっとするようなことを言っています。

この世の悪のほとんどは、善意の人々によってなされている。

たとえ「悪い」WANTでも、キャラクター自身はそれが最善だと信じているかもしれません（例：暴力を振るう恋人と別れて一人になるよりは、現状を維持する方が安全でよい）。

ただし、WANT自体は悪いものではない場合が多いです。「嘘」から生まれた動機だって、間違っているとは限りません。「嘘」を信じてWANTを求めるのは、それで人生がよくなると思っているからです。キャラクターは誤った現実認識を問題だとは思っておらず、それこそが人生の答えだと思い込んでいます。

そのまやかしが起きるのは、キャラクターがひどく混乱している時か、選択に伴う代償のことを考えて心が揺れている時です。暴力を振るう恋人に悩む人物は、別れと現状維持のどちらを選んでも、それぞれによい面と悪い面があると考えるでしょう。実際に恋人と対決するまで、キャラクターは魂の最も深いところで悩み続け、二つの選択肢の間で揺れ続けます。

…………

▼例

ルークのWANTと目的は明らかな悪ではなく、破壊的でもない。「ジェダイになりたい」「反乱軍に入って悪の帝国と戦いたい」「もっと意義のある人生を送りたい」というように、むしろ非常に健全。

…………

「目指すもの＝WANT」という言葉に惑わされないようにしましょう。それはキャラクター自身の欲求でありプロットの原動力ではありますが、まだそのキャラクターのマインドは偏っていて、不完全です。ただ、見当違いのものを誤った動機で求めているからNEEDには相当しない、というわけではありません。「ゴースト」は深いところで必要としているNEEDを表します。そのNEEDを満たそうとしてキャラクターが最初に試みることは、あながち間違いでもないのです。

キャラクターにとって本当に必要なNEEDとは？

キャラクターが追い求めるもの（WANT）はプロット上の目的地になります。一方、キャラクターが潜在的に必要としているNEEDはテーマの価値観に直結します。ストーリーで描く「真実」は、キャラクターが究極的に必要としているNEEDでもあるのです。

▼例

ルークのNEEDは恐怖と怒りの克服。それがある限り、彼は暗黒面（ダークサイド）に引き込まれてしまう。愛する人を守るためがむしゃらに栄光を求める傲慢さを手放すことが「必要」。彼は旧三部作を通して、ジェダイになることは「父のようになる」こととは違うと学ぶ（実は、むしろ父親がルークを見習ってほしいほど）。栄光や成功、支配さえをも求める心を捨てることが、ジェダイには必要。ルークはシリーズを通してそうした「真実」にゆっくりと気づき、クライマックスでは憎しみを振り払って武器を捨てる。

NEEDは常にキャラクターの手の届くところにあります。悩みや葛藤に対するシンプルな解毒剤のようなものです。しかし、混乱しているキャラクターは、WANTの方が現実的な解決策だと思っています。ですからNEEDを完全に拒否するか、代償を恐れるあまりに中途半端な受け入れ方しかできません（例：恋人に暴力を振るわれている人物は、別れという選択肢にも代償があるでしょう。逃げようとして、さらに報復を受ける危険もあります）。

どんなに代償が大きくて気が進まなくても、NEEDを受け入れなければ人生は歪んだままです。NEEDと「真実」は心の葛藤を解決に導きます。相反する心の声のどちらが正しいかは「真実」が教えてくれるからです。正しい「真実」を受け入れたキャラクターは、現実を捉え直します。結果は甘くはないかもしれませんが、今までの重荷からは即座に解放されるでしょう。

▼例

ルークのNEEDは恐怖と怒りと憎しみを手放すこと。その選択には命の危険も伴い、彼の家族や仲間、ひいては反乱軍をも危険に晒す。そんな中、ルークの父は帝国と皇帝を葬り、息子を助ける選択をして物語はポジティブに終わる。仮にこれが「失望のアーク」のストーリーだとしたら、終わり方は異なる。キャラクターが自分のNEEDと「真実」を受け入れ、ネガティブな結果を目の当たりにする（例：ルークが怒りを手放した結果、ハン・ソロやレイア姫は殺され、反乱軍は敗北する）。

WANTが常に「悪い」わけではないように、NEEDもまた「よい」とは限りません。NEEDを選んだ途端にすべてが円満解決するわけでもないのです。そこまで単純なら、キャラクターは最初からNEEDに従っているでしょう。

自分のためになる生き方ができない唯一の理由は「難しいから」です。肥満が心臓病や糖尿病のリスクを高めるとわかっていても、ヘルシーな食生活や運動を続けるのは簡単ではありません。「身体によくない」とわかっていても難しさは変わりません。目の前のドーナツを食べれば胃がもたれると知っていても、誘惑に打ち勝つのは至難の業。だから、やっぱり食べてしまいます。

精神面やスピリチュアルな面での選択も同じです。正しいおこないが周囲に賞賛されるとは限りません。やり玉に上げられ、糾弾されることもあります。自分や世の中の真実を認めることが人生を楽にするとは限らないのです。心の傷に貼った絆創膏をはがせば、実は傷が治っていないことに気づいてしまうかもしれません。

NEEDは必ず、すこやかさを取り戻す道を示します。NEEDに複雑さを加えて表現してみれば、キャラクターがそれをおいそれとは受け入れない理由もすべて表れます。キャラクターはNEEDを求めていないわけではありません。

ここはキャラクターの心の葛藤が最も強く働くところです。したいことと、（いかに「必要」でも）したくないこととの板挟みの葛藤は非常に強く、説得力があります。さらに共感を呼ぶのは、二つのWANTや二つのNEEDの間で悩むシナリオです。

両方は得られず、一つだけしか選べない。そうした状況での（キャラクターアークの定義で言うところの）真のNEEDとは大義であり、より大きな善です。たとえば、ある女性キャラクターのWANTは「愛する人と一緒にいたい」だとします。これ自体は悪くありません。恋愛は彼女のよい面を表し、健康で幸福な未来の可能性を拓きます。

しかし、彼女は正しいことを選ぶ「必要」があります。世界を救えるのが彼女だけだとしたら、自らを投げうつことがNEEDです。もう少し日常レベルに近い例に変えると、彼女に夫と子どもがいるなら、育児のためにも誠実な結婚生活を維持するのがNEEDかもしれません。自分にとってよいWANTを選べば、大義にあたるNEEDを捨てることになります。彼女以外の人々も苦しめるし、また、本人の苦しみも消えないでしょう。苦悩への対処法は、すぐに結果が得られなくても「嘘」を捨てて「真実」を選ぶことです。

このように単純化し過ぎないことは、とても大切です。キャラクターアークを考えながらWANTとNEEDと「嘘」と「真実」を探す時に、WANTと「嘘」を「悪」、NEEDと「真実」を「善」と決めつけると混乱するからです（視野も狭くなってしまいます）。「スター・ウォーズ」シリーズのようにはっきりと善悪の対立を描く作品でさえ、キャラクターのWANTとNEEDの理由に複雑さを与えています。

用語は難しそうに見えますが、結局のところ「心の葛藤」とは、キャラクターが求める二つのものが拮抗することです。心の中の戦いと同じようなものが、「外に表れる対立」に映し出され――プロットの中で主人公のWANTと敵対者のWANTが衝突するのです。

WANTとNEED、「嘘」と「真実」を緻密に扱えるようになれば、テーマの議論にも、プロットとキャラクターにも、豊かなニュアンスが出せるでしょう。

4. 内面の葛藤を二つの選択肢で表す

キャラクターが最後にWANTとNEEDのどちらを選ぶかで、テーマの「嘘」と「真実」どちらを立証するかが暗喩として表現されます。二人の人物や二つの物事、二つのあり方の間で厳しい選択に迫られる姿を「描写」すれば、読者に「このストーリーの教訓」をわざわざ書いて教える必要はなくなります。

この二者択一は、簡単なものであってはいけません。どちらが「正しい」選択で、どちらが「間違った」選択かがはっきりしていれば、テーマの議論は不可能です。簡単に正しい方が選べるなら、内面の葛藤などしなくて済みます。

ですから、「嘘」と「真実」の間で激しい議論をさせるべきです。「殺人は悪い」という「真実」に対して、単純に「殺人はよいことだ」という「嘘」をぶつけても議論は起きません。でも、書き手が複雑な「嘘」を設定したらどうでしょう。たとえば、弁護士がサイコパスの無罪を心から信じて弁護をするなら、法廷で興味深い議論が起こせます。

▼例

スクルージはそれまでの過ちを認めるか、そのまま墓場に行くかの選択に迫られる。（『クリスマス・

キャロル』）

マティは父を殺した犯人を追うか、自分の身の安全を図るかの選択に迫られる。（『勇気ある追跡』）

マイケルは高潔な人生を生きるか、手段を選ばず家族を守るかの選択に迫られる。（『ゴッドファーザー』）

5．キャラクターの内面の変化とプロットの変化

テーマとキャラクター（およびプロット）が調和しているかどうかを確かめるには、「ストーリーの中で変化を遂げるものに注目する」のが一番です。キャラクター、特に主人公は、物語の最初と最後を比べると、どう変化していますか？　変化がなければ、ストーリーには根本的な問題があります。

キャラクターがテーマとは無関係の変化をしている場合も問題です。おそらく、ストーリーのどこかで関係が切れているのでしょう。プロットを作った後で、テーマを別に考えついて後づけしても（セリフで語るケースが多いです）、物語の本質はキャラクターとその世界の変化にあることはやはり変わりません。

テーマが他の要素と完璧に統合されると、必ず力を発揮します。その力によって主人公は変化を促されるか、主人公が他のキャラクターたちに変化を促します。

▼例

スクルージは物語の始めでは守銭奴だったが、最後には悔い改め、朗らかで慈愛に満ちた人間に変わる。（『クリスマス・キャロル』）

マティは父を殺した犯人と無法者たちを仕留め、道中で出会う自堕落な保安官たちの態度を正し、周囲に変化を呼び起こす。（『勇気ある追跡』）

マイケルは戦場で功績を上げた品行方正な青年軍人から、冷酷なマフィアのドンへと変化する。（『ゴッドファーザー』）

テーマがメッセージとして物語に書き込まれると、強引な感じになりがちです。キャラクターの姿を通して伝えましょう。そうすれば、物語の「真実」が自然に浮かび上がります。

テーマに沿った主人公を選ぶ

実際に書き出す前に、主人公を適切に選択できているかを分析することは大切です。いろいろな見方がある中で、テーマは最善の評価基準になります。

書き手自身にとって一番興味があるキャラクターを選べば、主人公はたいてい、すんなりと決まるでしょう。他にもプロットに影響を及ぼすキャラクターがいれば、彼らの主観も交えることができます（ただし、慎重に）。ですが、最も重要なのは主人公やプロットを選ぶことではなく、テーマを選ぶことでもありません。それら三つがしっかり連携できるかどうかです。

この章のしめくくりとして、選りすぐりの五つの質問を挙げます。テーマをパワフルに表現する主人公を選ぶために役立てて下さい。主人公がプロットを前進させず、テーマも「立証」しない場合は質問についてよく考え、主人公にふさわしいキャラクターを他に見つけるか、プロットとキャラクターとテーマがうまく関連し合えるように調整しましょう。

1. 他の誰でもなく、主人公だけが、その対立や葛藤にもたらせるものは何か？

物語の途中で主人公を別のキャラクターに変えても、プロットやクライマックスにたいした支障が起きないなら、その主人公はほとんど役に立っていないでしょう。

主人公の特徴などを組み替えて、まったく新しいキャラクターに変える（あるいは、変わったように見せる）場合も同じです。たとえば、恋愛もののヤングアダルト小説〔ティーンエイジャーを対象にした小説〕で、地味で引っ込み思案のヒロインを派手なヤンキータイプに変身させても、元々のストーリーの出来事にあまり影響がないなら、そのキャラクターは平面的で、テーマ的にも退屈だと言えます。

主人公はキャラクターの中の君主のような存在です。でも、そのように特別扱いをするには、それなりの理由があるべきです。その価値があることを確かめましょう。超能力や奇抜な特技などはなくてもかまいません。ですが、プロットの出来事と関わりながら、テーマの意味を浮かび上がらせる資質は必要です。

主要なキャラクターたちを見てみましょう。主人公を際立たせているものは何でしょうか？　物語を通して主人公は、他のキャラクターたちとは違う変化をしますか？　主人公だけがプロットに対して発揮する力はありますか？　他の誰でもなく、主人公だけが周囲に及ぼせる影響は何でしょうか？

2. その対立や葛藤は、なぜ主人公のプロットであり——他の誰のものでもないのか？

なぜ「スター・ウォーズ」旧三部作はルークの話であり、ハン・ソロやレイア姫の話ではないのでしょうか？　ハン・ソロやレイア姫の方がキャラクターとしては面白いかもしれません。レイア姫を主役に据えた場合でも、ルークと同じプロットや事実がたくさん反映できるはずです。二人ともフォースの力があり、育ての親を殺した憎き敵がいるのですから。

レイア姫が主役でも面白いでしょうが、同じストーリーになったかは疑問です。旧三部作の中心となるプロットはルークのもの。夢みる純朴な農場の少年ルークが、ゼロからの出発をするからです。ストーリーの始まりでは、彼の双子のきょうだいであるレイア姫は彼より十歳ほども年上に見えます。経験豊富で世慣れているため、何も知らない愚者のような状態からマスターへと変貌させるのは難しそうです。レイア姫の主観で同じストーリーを語るなら、彼女の性格を完全に変えて、時間軸をもっと前にさかのぼりたくなるでしょう。

ルークよりも、ハン・ソロやレイア姫の方が、いいセリフもたくさん言えるかもしれません。しかし、典型的な「英雄の旅」タイプの成長を力強く表現するには、主人公がルークのプロットであるべきです。しかも、この選択はストーリー全体の構成で補強されています。ハン・ソロとレイア姫のサブプロット（メインストーリーとは異なる話を語るパート）にも時間が充てられていますが、葛藤や対立のバックボーンは常に、はっきりとルーク対ダース・ベイダー。善対悪のテーマの線に完璧に沿っています。

3. 主人公の最大の長所は何か？

主人公がストーリーに何を与えてくれるかを考えるのは、難しい時もあります。ずっと考え続けていると、どのキャラクターを語り手にしても面白そうに思えてくるかもしれません。幸い、その主人公ならではのものを導き出す問いがいくつかあります。

まず、主人公のよい面を考えて下さい。他のキャラクターたちにはあまり見当たらず、主人公だけに見られる長所は何でしょうか？　物語の前半で主人公と他のキャラクターたちとが対照的に映るよう、特徴を考えてみましょう。

たとえば、みんなは冷淡で、主人公は親切。みんなは臆病で、主人公は勇敢。みんなは愚かで、主人公は賢い。あるいは、みんなが絶望している中で、主人公だけが希望を持ち続ける。

その「長所」が特技に関係することもありますが、特技自体がテーマを表すことはあまりありません。長所は行き当たりばったりで決めないようにすること。やさしさや勇気、賢さや希望といった長所は直接、または間接的な表れ方をし、プロットの進展に欠かせないものでなくてはなりません。

4．主人公の最大の欠点は何か？

最大の長所に続けての質問です。主人公の最大の欠点は何でしょうか？　欠点や弱点は長所の裏返しですから、これを考えることでテーマやプロットとの連続性が保てます。長所を最大限に誇張し、もはや好きになれず、ありがたいとも思えないぐらいにすると欠点になります。

そのキャラクターが親切なのは、人と揉めるのが怖くて仕方ないからかもしれません。勇気があるのは、臆病さを隠したいからかもしれません。知的であることは、鼻持ちならない傲慢さにもつながります。いつも楽天的なのは、現実を見ないという欠点にもなりそうです。

たいてい、主人公は観客に好かれるために、最初によい面を見せます（または、よい面と好感度の低そうな特徴とを重ね合わせて関心を引きます）。ですが、そうした長所がいきなり全開の状態で始まることは、ほぼありません。長所が出しづらい理由がパートナーの欠点のせいであれば、主人公もパートナーもテーマに従って変化する可能性が生まれますし、また、変化の必要に迫られます。

5. 長所と短所はプロットにどう影響し、プロットと主人公について何を示すか？

うまく構成されたストーリーでは、プロットが主人公の長所と短所に潜む変化を促します。主人公の長所と短所が引き起こす行動に従ってプロットが作れていれば、その主人公はテーマに合っています。プロットとテーマが合っているかどうかも心配無用です。主人公がプロットを進展させ、プロットの出来事から意味を見出していれば申し分ありません。

第3章 テーマをプロットで立証する

「挑戦してくる者がいれば、我々は気力を高め、技術を磨く。敵は我々を助けてくれるのだ」

――エドマンド・バーク

プロットとテーマは混同されがちな反面、切り離して別々に議論される時もあります。いったい、どちらがよいのでしょう？

これから、いろいろな質問を出していきますので、考えながら探ってみましょう。プロットとテーマは同じものでしょうか？　はい、ある程度までは同じです。少なくとも、両者を直感的に言い表した言葉には関連性があります。

例として、ジェーン・オースティンの『高慢と偏見』を挙げましょう。この小説を一文でまとめると、次のようになります。

貧しい女性と裕福な男性が、身分の違いを超えて惹かれ合う。

これはプロット？　それとも、テーマ？

もう、おわかりでしょう。この文はプロットを表しています。なぜなら、外に表れるアクションが書かれているからです。それはキャラクターたちの世界で起きる出来事です。恋愛小説や社会派小説などでは会話が「アクション」の大半を占めていたり、キャラクターの思考や感情の描写が多かったりしますが、出来事や事実を時系列に並べて考えている時は、プロットを練っている時間です。

では、『高慢と偏見』を別の文で要約します。プロットかテーマかを当てて下さい。

貧しい女性と裕福な男性は、相手に対する高慢（プライド）や偏見を克服すれば恋ができる。

これはプロットでありテーマでもあります。

また、プロットとテーマが潜在的につながっていることがわかります。

プロットとテーマは完全に同じというわけではありません。すでに見てきたように、テーマとは抽象的な議論（倫理観や存在を問う）であり、現実についての真実を示します。でも、プロットがなければ、テーマはただの理念でしかありません。誰かとお茶を飲みながら語り合うことはできても、テーマだけではストーリーにはならないのです。

テーマとプロットが揃うとストーリーになります。先に挙げた二番目の例文を見ると、両者を揃えることの大切さがわかるでしょう。プロット（「惹かれ合う」）は外に表れるアクションです。そのアクションを通してテーマの議論（「高慢も偏見も、大切な人間関係を妨げる」）が立証（または反証）できるのです。プロットで描く出来事や行動に対して、テーマは理由を与えます。

プロットとテーマはまったく同じものではありませんが、分離してもいません。プロットは、ストーリーの三大要素の中で最もはっきりと見えるもの。テーマとキャラクターを結びつけ、担いで運ぶ役割を果たします。プロットが生み出すものは、説得力や面白さだけではありません。キャラクター同士を衝突させ、テーマについて考えさせるものでもあるのです。

プロットは必ずテーマに関連させる

「それは何についてのストーリー?」と尋ねられたら、答え方はいろいろあります。前章で挙げたように、プロットとキャラクターとテーマのどれを中心にするかによりますが、真の答えは必ずテーマにあります。

実は、プロットで描くことがテーマなのです。片方を言い表すには、もう片方を匂わせないと難しいと思えるぐらい、緻密に結びついています(たとえ書き手が意図していなくても)。

キャラクターの決断と行動は、現実に対する意思表明。好き放題にふるまう時も、一目ぼれをする時も、良心の呵責を感じて発言する時も、ぐでんぐでんに酔っ払う時も――彼らは現実について何かを訴えているわけです(あるいは、少なくとも書き手がそうだと思うことが表れます)。

あなた自身にメッセージを伝える意図や自覚があるかどうかに関わらず、あなたがストーリーを書けば何かが伝わります。知らず知らずのうちに潜在意識が働いて、すごいテーマが自然に表れる時もありますが、たいていの場合、そうはいきません。自分で作ったプロットが発するメッセージに書き手自身が気づけず、次のような問題に陥ることもあります。

1. 書き手が意図していないことを、プロットが「立証」してしまう。
2. 書き手が意図していないことをプロットが「立証」してしまうだけでなく、書き手がさらに別のテーマを後づけし、ストーリーの出来事で裏づけしていないことを立証しようとする。

1の原因は、書き手がプロット作りの定石に頼り過ぎていることでしょう。自分自身の正直な答えを模索せず、一般的なアクションものや恋愛ものにありがちな表現をしようとしています。善人は「ただ」善人らしく正しいことをして、ロマンチックな主役の二人は「ただ」若くてきれいで恰好いいから惹かれ合う、というように、誰もが読者や観客として見聞きしたことをなぞっているだけです。

2は、それとは対照的に、書き手に何らかの意図はあるものの、実際に作ったストーリーが何を伝えているかが理解できていない時に起こります。あるテーマを想定したつもりでいるのに、それとは違うテーマの議論がプロット上で起きていることに気づいていません。このようなストーリーは、ちぐはぐなテーマが交錯した不安定なものになるでしょう。最悪の場合は、どのテーマも伝えられずに終わります。

プロットとテーマが調和した作品に仕上げることは、誰にとっても究極の目標です。そのためには技術が不可欠。そして、その技術を用いるには、意識的な気づきが必要です。テーマとプロットの組み合わせが適切かどうか、次の五つの質問で自己診断して下さい。

1. なぜ、そのプロットか？　なぜ、そのテーマか？

どちらもストーリーの有効性を確認する上で、最も重要な質問です。あなたのキャラクターが、描こうとしているテーマについての気づきを得るために、そのプロットをたどるべき理由は何でしょうか？　はっきりとした理由がなければ、プロットかテーマの選択を見直して下さい。

2. そのプロットは、テーマを立証するキャラクターアークに合っているか？

あなたが最初にひらめくものは、三大要素（キャラクター、プロット、テーマ）のいずれかでしょう。ただし、テーマについて何かを思いついたら、必ず全体を見渡して下さい。テーマを立証するにはキャラクターアークを使います（キャラクターの心の奥にある「嘘」と「真実」とをせめぎ合わせます）。キャラクターアークはプロットを組み立て、また、プロットによって組み立てられます。ストーリーを形づくるには、三大要素をすべてリンクさせることが必要です。

テーマ以外の要素を考える場合も同じです。まずプロットに注目するなら（または、すでに初稿が完成していれば)、そのプロットの出来事と、それをたどるキャラクターの旅が、何を訴えているかを考えて下さい。

キャラクターに注目するなら、主人公のアークの核となる「嘘」と「真実」をはっきりさせましょう。それらをめぐってプロットを考え、テーマを描き出します。

三大要素のいずれかに行き詰まった時は、他の二つの要素を練ってみると、よい刺激になります。どの要素も見過ごさず、役立てていきましょう。

3. プロットで描く対立や衝突は、キャラクターの内面の葛藤の暗喩にできるか？

プロットとキャラクターの共生をさらに深めるために、ストーリーの中で起きる対立や衝突を、キャラクターの内面の葛藤の暗喩（メタファー）として捉えてみて下さい。

たとえば、反戦主義を貫こうとするキャラクターを描くなら、戦争（または、アントン・マイラー作『アメリカの肖像』のように、数々の戦争があった世紀など）を内面の葛藤の暗喩とし、視覚的な表現ができます。

エミリー・ブロンテ作『嵐が丘』に登場する孤児ヒースクリフのように、どんどんひどい「嘘」へと転落するキャラクターもいるでしょう。彼はアンチヒーロー（一般的な英雄像とは異なる、ダークな側面を持つヒーロー）です。幼少期に内に秘めていた恨みは、物語の後半で陰湿な復讐の数々となって外に表れます。

4. プロットの変化は、キャラクターの内面の変化をどのように促すか？

うまく機能しているストーリーでは、キャラクターの内面と外側で起こる出来事が、互いを鏡のように映し合っています。しかも、相互に影響を与え合うように作られています。プロットで何かが起きればキャラクターの内面は揺れ動き、キャラクターアークが進展するようになっているのです。内面が動くたびに、キャラクターの考え方やモチベーションも変化します。それをキャラクターの心の中だけに留めず、プロットの出来事に反映して下さい。テーマの表現に一貫性を持たせるには、そのようにして内外の因果関係を作ることが不可欠です。

そこで役立つのがシーンの構成です。まとまった流れの中で内面の葛藤だけを、あるいは対外的な衝突だけを描いてもかまいませんが、シーンの前半で他者との衝突のアクションを描き（目的、対立、災い）、後半で内面のリアクションを描いて（反応、ジレンマ、決断）次のシーンの対外的な衝突の下地にするとよいでしょう。
（シーンの構成について、詳しくはシリーズ第二作『ストラクチャーから書く小説再入門』の後半をお読み下さい）

5. 一つひとつのシーンについて、テーマの一貫性を確認したか？

ストーリーはシーンが連なってできています。それらのシーンの中で、あなたが意図するテーマから外れているものはありませんか？　ストーリーがあなたの意図とは異なるテーマを伝えてしまっている場合、プロット全体に問題があるのではなく、いくつかのシーンだけがテーマから外れているのかもしれません。

一つひとつのシーンをよく見直してみて下さい。対立や衝突を通して、プロットは連鎖的に進んでいますか？　そして、それはテーマの表現に役立っているでしょうか？　結末まで書き終えてから「このストーリーが伝えていることは何かな？」と考えるだけでは不十分です。シーンを書くたびに「このシーンが伝えていることは何かな？」と考えて下さい。

本筋とはまったく無関係のテーマを伝えていないか、シーンごとに確認しましょう。本筋に対して不協和音になるようなテーマを伝えているなら、さらに問題は悪化します。さまざまなシーンがあるとしても、最終的には一つの大きなモザイク画を作り上げるかのように、すべてを融和させることが必要です。

テーマを描き出すことは、キャラクターたちの心の奥深くにある感情や思いを浮かび上がらせることです。そのテーマを使ってプロットを作って下さい。あなたにその力があれば、キャラクターの心の迷いがどんなに私的なものであっても、それを暗喩として表現し、多くの人々に伝えることができます。三大要素がしっかりまとまったストーリーが出来上がるに違いありません。

敵対勢力は主人公のテーマの主張に挑戦する

読者の購買意欲をそそるのは敵対者ではないかもしれません。でも、敵対者は主人公に、次のいずれかを与えてくれます。

a）だらだら過ごすのをやめる理由

b）困ったことが起きるたびに「まあ、いいか」では済まされなくなる理由

ですから、ぜひ、敵対者も大切にして下さい。主人公と同等に複雑さを与え、豊かな描写を心がけましょう。主人公がさまざまな側面を見せているのに、敵対者がいつも単調だと、読者は格差を感じ取り

ます。

石を打ちつけて火花をおこすかのように、敵対者と主人公はぶつかります。主人公は心のままに運命を生き、突き進もうとしますが、敵対者は道を譲りません。互いが無関係だと、きっと面白くないでしょう。でも、二人が揃えば何かが起きます。ストーリーが進み出す契機となる事件、「インサイティング・イベント（インサイティング・インシデント）」（物語のメインの対立や衝突を招く「きっかけとなる出来事」とも呼ばれる）の勃発です。

しかし、それは悪人対善人というような単純なものではいけません。主人公に対して、誰かがたまたま反対するというのも、いまひとつです（反対者がいないよりは、はるかによいですが）。もう一点、気をつけたいのは、悪い面の描写とのバランスをとるために、悪人の良い面を描く時です。それが目立つあまりに主人公を霞ませてしまっている作品が、最近多いように思います。敵がダークなヒーローへと変化する流れも悪くはありませんが、ストーリーのまとまりや、観客の感情移入を損なわないようにしたいものです。

主人公にふさわしい敵対者を描くには、最初から調和させる以外にありません。その調和はテーマから生まれます。テーマに合わせて主人公を選ぶように、敵対者も慎重に選び、作り込んで下さい。

主人公と敵対者とテーマを組み合わせる方法はたくさんあります（これも、キャラクターとプロットとテーマの三大要素の表現の一つに過ぎません）。最もよい方法は主人公のアークに注目すること。プロットの出来事に対して、主人公がテーマの面からどんな影響を受けるかがわかれば、それと相互に影響し合う敵対者のあり方が見えてくるでしょう。

敵対勢力の種類

敵対者は人間とは限らないため、私はよく「敵対勢力」と呼びますが、この章では自らの思考や意志によって行動するキャラクターを指して「敵対者」と表記します。あなたが書くストーリーに人格を持つ敵対者が登場しなくても、これからお話しする原則は象徴的な意味で当てはまることを覚えておいて下さい。

主人公と敵対者のアークはテーマの面で影響し合い、テーマを反映したプロットを生み出します。その作り方をご紹介する前に、敵対勢力の種類を見ておきましょう。

1．主人公対社会

主人公が社会全体と衝突するケースです。たいてい、その社会はなんらかの意味で腐敗しています。ラルフ・エリスン作『見えない人間』やスーザン・コリンズ作『ハンガー・ゲーム』はこれに当たります。ただし、そうした大きな世界観を描く場合も、社会を代弁する敵対者（例：『ハンガー・ゲーム』のスノー大統領）か、少なくとも、象徴的なキャラクターたち（例：『見えない人間』の過激な民族主義者たち）を登場させるのがベストです。

2. 主人公対自然

主人公が悪天候（ハリケーンなど）や過酷な環境（砂漠など）、猛獣や病気（伝染病やゾンビなど）に遭遇しながら、何かを成し遂げようとするケースです（生存をかけて闘うことがよくあります）。こうしたストーリーにも敵の人間や「コンタゴニスト」［主人公と共闘するが、主人公に戦いからの撤退や誤った選択を促し、進展を妨げるキャラクター］を登場させることが多いでしょう。テーマをめぐって主人公がたどるアークは、顔のない敵対勢力との闘いを通して象徴的に表れます。キャラクターが心の中で体験する闘いは、自然の力との対峙で対外的に表現されるのです。この場合も、自然を代弁するキャラクターを登場させる方がうまくいくことが多いです。多くの戦争映画も敵軍全体でなく、特定の兵士を「敵」として描いています。

このタイプのストーリーは感情的に距離を感じさせます。ですが、敵対勢力は主人公とその目的の間に立ちはだかるもの。主人公を妨害するものはみな、主人公の内面に影響を及ぼします。

3．主人公対自己

自己ほど身近な敵はいません。深いテーマを描く物語はみな、主人公の内面の葛藤に切り込んでいます。自分は誰か？　何を信じているか？　どうやって生き残るか？　何をするか？

とはいえ、主人公が最初から最後まで自己と敵対し続けるプロットはほとんどありません。メインは内面の葛藤であっても、それを象徴する出来事が周囲に起こります。また、主人公が自ら障害物を招き入れ、自分で自分を妨害することもあります。あるいは、人格のない大きなものとの衝突（主人公対自然、または主人公対社会）によって内面の葛藤を表現したり、主人公が出会う人々を使って主人公の内面に潜む闇を暗喩として表現したりする場合もあるでしょう。

主人公の内面に潜む闇がわかったら、それを象徴する敵対者を登場させて戦わせてみて下さい。主人公対自己の戦いがクライマックスに向かうのと並行して、敵対者との戦いを進行させるのです。主人公は自己よりも、敵対者を倒す方がたやすいと気づくでしょう。二つの戦いを融合し、一つの戦いの終結によって両方が解決すれば、テーマをパワフルに共鳴させることができます。

4．主人公対主人公

「主人公」と「敵対者」と聞けば「善人」と「悪人」を思い浮かべるでしょう。でも、その分け方は正確ではありません。「主人公」と「敵対者」はストーリーにおける機能であって、善悪を分けるものではないからです。主人公を極悪人にして、敵対者を天使のような善人にしても問題はありません。「悪者」ではない「敵対者」のわかりやすい例は、敵対者も主人公となるストーリーです。二人の主人公がプロットの中でそれぞれの目的の実行を目指し、互いに障害物を与え合うのです。これはテーマで複雑な倫理を問う場合に適しているでしょう。また、ラブストーリーにおいては定番です。互いの関係がメインの葛藤であり、クライマックスで結ばれる時には二人共が等しく重要だからです。

5. 主人公対敵対者

最後の五番目は、主人公と敵対者が対立するオーソドックスな組み合わせです。このタイプの物語では、主人公が構成に一本の筋を通すため、読者や観客は主人公に感情移入をします。敵対者は、主人公が目指す目的と自らの望みが相容れないことがわかると、主人公と対立。敵対者の目的は主人公が自身の目的に気づく前から確立している場合がほとんどです。主人公は敵対者を阻止するため、あるいは自分が敵対者に阻止されそうになるために、敵対者に対してリアクションをすべきだと決断します。

敵対者が主人公とつながるべき理由

ストーリーを成功させるには、テーマを一貫して表す敵対者が不可欠です。魅力的な主人公や気が利いたセリフ、はらはらさせる対決や深いテーマが描けても、「敵対者がただの悪者にしか見えない」というだけで作品が失敗することがあります。

ぴんとこないかもしれませんが、実は、ストーリー全体の成功の基盤を作るのは、主人公ではなく敵対者。なぜなら、対立関係をテーマに結びつけるのは敵対者だからです。

テーマとプロットが調和しているかがわからない時は、「主人公と敵対者の関係」を見て下さい。ストーリーの中で起きることはみな、キャラクターの内面に影響を与えます。他のキャラクターたちや周囲のものとの対立や衝突は、すべて主人公の内面で生まれる変化を外に出して表すためのもの。ですから、プロットの出来事はただの偶然では済まされません。なぜ敵対勢力がネガティブな障害物で主人公を妨害するのか、理由が必要です。敵対勢力が企業でも、殺人鬼やいじめっ子や家族でも、ペットの犬をうっかり鎖でつなぎ忘れた老婦人でも、それは同じです。

理由も脈絡もなければ、リアリティも生まれません。最悪の場合、敵対勢力とテーマとのつながり（つまり、メインコンフリクトとのつながり）が欠け、クライマックスでの最終決戦は支離滅裂になり、感情的に満たされないものになってしまいます。

この失敗はラブストーリーに多く見られます。物語のメインの部分はしっかりできていて、人間関係が展開し、惹かれ合う二人は敵対者同士。双方から次々と出される障害を乗り越え、ハッピーエンドを目指します。ここまでは問題ありません。敵対者と対立関係とテーマをしっかりと融合できています。

ところが、作者はさらにサスペンスを加えて盛り上げようと思うのか、突然誰かを登場させて、主役のどちらかを危険な状況に陥れるサブプロットを付け足したりするのです。このキャラクターは主人公とのやりとりがほとんどない、マイナーな敵対者。全体の九割ほどは出番がなく、テーマともほぼ無関係で、最後にドキドキハラハラさせるためだけに登場します。それ自体は悪くなくても、根底にあるテーマからかけ離れているのは問題です。やはり、ストーリーにふさわしく、また、キャラクターの内面に強く影響を及ぼす出来事にすべきです。

では、敵対者を主人公と結びつけ、テーマとメインコンフリクトにも一貫した関連性を持たせる五つの方法を見ていきましょう。次の項目を読みながら、あなたが好きなストーリーをいくつか思い浮かべてみて下さい。敵対者は項目の内容に当てはまっているでしょうか？　そうでなければ、感情面でも辻褄が合うように、主人公と敵対者とテーマをさらに強く結びつける方法を考えてみて下さい。

1. ポジティブなつながりが主人公と敵対者との間に存在する

主人公と敵対者のポジティブなつながりと言えば、よき友人同士でありながら敵対する、なんとも複雑な関係が思い浮かびます。いろいろな感情が渦巻くでしょうから、敵対者が推進力を発揮できる、なかなかよい例だと言えるでしょう。

優れた葛藤や対立は、苦渋の選択から生まれます。どのような選択をしても何かを失うシチュエーションを作りましょう。大切な人と意見がぶつかり、主人公も敵対者も厳しい選択に迫られるような設定です。そのようなストーリーは、鋭い問いを突き付けます。「それをするためなら、友達を裏切ってもいいのか?」といったことを考えさせることでしょう。

また、キャラクター自身にとって「ポジティブ」とは言えなくても、一般的にはそうだと認められる人間関係も、この項目に該当します。たとえば、家族。たとえキャラクター同士が不仲であろうと、そこには家族という一般的にはポジティブと考えられる関係が存在します。シンデレラと継母がそうでしょう。伝統的な家族観があるからシンデレラは家庭で継母に従います。家族という関係でつなぎ止められているために、複雑なテーマの議論が可能になるのです。

▼例

スティーブ・ロジャースとバッキー・バーンズは友人同士。(『キャプテン・アメリカ/ウィンター・ソルジャー』(二〇一四年))

スティーブ・ロジャースとトニー・スタークは友人同士。(『シビル・ウォー/キャプテン・アメリカ』(二〇一六年))

マシュー・ガースは養子、トーマス・ダンソンは養父。(『赤い河』(一九四八年))

ブレンダン・コンロンは兄、トミー・コンロンは弟。(『ウォーリアー』(二〇一一年))

2. ネガティブなつながりが主人公と敵対者との間に存在する

知らない者同士の主人公と敵対者が、互いの目的が衝突して、初めて相手の存在に気づくストーリーは少なくありません。二人が出会うと、何らかの出来事(インサイティング・イベントまたはプロットポイント1)が起きて状況が大きく変わり、互いを無視するわけにはいかない関係に陥ります。

一般的に、敵対者は「悪者」。主人公にネガティブな影響を及ぼすことが多いです。嘘の悪口を言いふらす、仕事を奪う、裏切るなど、敵対者のアクションは多岐に渡ります(例:『ウォーリアー』の弟トミーは、自分より年上の兄が母と幼い自分を見捨て、酒浸りの父を選んだと感じています)。主人公を襲う(ジョン・フォード監督の『リバティ・バランスを射った男』(一九六二年)では凶悪な無法者リバティ・バランスが、ジェームズ・ステュアート演じる高潔な弁護士の金品を強奪し、大怪我を負わせて放置する)などのひどい仕打ちや、主人公の愛する人を襲う場合もあります(ブライアン・ガーフィールド作『狼よさらば』をはじめ、復讐のストーリーではおなじみ)。

そうした敵対者の行為に対して、主人公が黙って引き下がれなくなることがポイントです。敵対者に壊されたものを修復すべく、主人公は第二幕へと進みます。戦いの場が広がったとしても、主人公にとって、それは自分のための戦いです。このアプローチのよいところは、主人公の心が求めることを、具体的な目的や結果として表現できること。すべてがうまく関連づけられます。

▼例

アメリカ独立戦争の動乱の中で、英国軍のタヴィントン大佐は平穏に暮らすベンジャミン・マーティンの息子を殺す。(『パトリオット』(二〇〇〇年))

アメリカ西部に暴力が横行していた時代、無法者リバティ・バランスは弁護士ストッダードに重傷を負わせて放置する。(『リバティ・バランスを射った男』)

平和なキャメロット城に不穏な空気が立ち込める中、王座を狙うヴォーティガンは、アーサーの父母である王と王妃だけでなく家臣たちも皆殺しにする。(『キング・アーサー』(二〇一七年))

3. 敵対者が主人公に対してネガティブな感情を持つ

主人公が傷つけられて憤るのとは逆に、敵対者が被害者意識を抱いて主人公を狙うパターンもあります。

この場合、主人公は(常に、とは限りませんが)敵対者の恨みに気づいていません。敵対者を怒らせた理由がわかっていないか、自分はよいことをしたと信じているか、自分を恨んで妨害してくる存在にまだ気づいていないかのどれかでしょう(『キング・アーサー』のように、対立が代々持ち越されている場合もよくあります）。

一方的な恨みも、いずれ相互のネガティブな関係へと発展していく可能性があります。たいてい、そこには因果関係の連鎖があるものです。最初に傷ついたのは敵対者だったとしても、その敵対者が主人公を恨んで攻撃すれば、今度は主人公が傷つきます。

敵対者側からのネガティブな結びつきは、ミステリーやサスペンスに向いています。主人公は恨まれる理由を知ろうとして、対立関係の中心的な存在になっていきます。「選ばれた者」のような位置づけの主人公であることも多いでしょう。

▼例

トニー・スターク［と彼と対立する人物たちのほぼ全員］は、トニーが引き起こした損害の後始末をしないで平気でいるために対立する。（「マーベル・シネマティック・ユニバース」）

暴力と恫喝で支配する無法者リバティ・バランスに対して、弁護士ストッダードは法の力で対抗しようとし、互いに対立する。（『リバティ・バランスを射った男』）

王座を奪ったヴォーティガンは、「生まれながらの王」の血筋であるアーサーに自らの統治を脅かされるために対立する。（『キング・アーサー』）

カンフーの強者タイ・ランは、小心者のパンダであるポーが「龍の戦士」として認められたことに嫉妬し、ポーと対立する。（『カンフー・パンダ』（二〇〇八年））

4. 敵対者が主人公を鏡のように映し出す

主人公と敵対者が知らない者同士なら、互いに相手に対して何の感情も生まれない、と思えるかもしれません。思い入れのない相手に対して、激しい衝突などできるでしょうか？　そして、クライマックスでテーマを深く表現できるでしょうか？

特に、敵対者が悪の権化(ごんげ)なら、主人公と同じ場に登場させることすら困難です。そのような場合でも、敵対者を主人公の象徴的な「鏡」としてふたりの関係性を表現することができます。悪者の中に自分と同じものを見つけた主人公は、自己の存在を深く問うでしょう。

「俺はなぜ、あいつと戦っているんだろう？　あいつと俺の違いは何だ？　俺の方がマシだと言える理由は何だ？　もし、俺もあいつも同類なら、本当は敵というより友ではないか？」と主人公は自問せずにはいられません。

主人公と敵対者の性格や手段、目的、バックストーリー〈キャラクターの生い立ちや過去など、ストーリーの現在時制より前の出来事〉、関心事などに共通点が多ければ多いほど、主人公の内面のサブテキストの中で、敵対者と衝突させるチャンスが増えます。

▼例

トニー・スタークとイワン・ヴァンコは同じ能力を持ち、父が発明家だったというバックストーリー

も似ている。（『アイアンマン2』（二〇一〇年））
スティーブ・ロジャースもヨハン・シュミットも「超人兵士」の血清投与を受けた。（『キャプテン・アメリカ／ザ・ファースト・アベンジャー』（二〇一一年））
ジェイソン・ボーンはCIAの武装組織トレッドストーンが放った暗殺者たちと共通の過去を持つ。（「ボーン」シリーズ）
ジャック・オーブリー艦長と対決するフランス海軍の艦長は、隊員に「君に似たやつさ、ジャック」と言われるような、粘り強い人物。（『マスター・アンド・コマンダー』（二〇〇三年））
エリザベスとダーシー氏の性格には共通点が多い。（『高慢と偏見』）
ジョージ・ベイリーも富豪のポッター氏も経営手腕と野望があり、ベッドフォードフォールズの小さな町を見下している。（『素晴らしき哉、人生！』（一九四六年））
アーサーとヴォーティガンは血縁関係にあり、どちらも大きな野望を抱いている。（『キング・アーサー』）

5. 主人公と敵対者が思想的に対立する

敵対する理由はキャラクターの目的や心の傷だけとは限りません。理念や思想の違いも理由としてあり得ます。「正しい」ことを信じる善人と、「誤った」ことを信じる悪人は互いに相容れません。

テーマが「ガキ大将と子分たちの力関係」といった場合でも、対立関係を掘り下げていくと、思想の違いが見つかるでしょう。さらに大きな「戦争」や「社会の不正」などを描くストーリーは、思想をめぐって展開することがよくあります。

しかし、思想だけでは対立や衝突は描けません。キャラクター同士の人間関係がまったく感じられない話になってしまいます。心を揺さぶるクライマックスの最終決戦を描くには、前に挙げた項目のどれか一つを使い、敵対勢力と主人公との関わりを作る必要があります。

映画化された『ワンダーウーマン』（二〇一七年）は、その点が残念だったかもしれません。ダイアナと最大の敵アレスの対決では思想のことしか語られず、物語の中で最も弱い部分でした。ダイアナとアレスの間に感情のやりとりはありません。彼女に信念があったから、かろうじてアレスを追うことができ、戦えたようなものです。

ただ、そのおかげでプロットとテーマが単純にまとめられた、とは言えるでしょう。ここで同作よりも豊かに思想の対立を描いている例を挙げておきます。

……………………

▼例

村人を尊重しない無法者カルベラに対して、用心棒クリス・アダムスは村人との約束を守るため帰ってくる。（『荒野の七人』（一九六〇年））

法と秩序を信じる弁護士ストッダードに対して、暴力を信じる無法者リバティ・バランス。（『リバティ・バランスを射った男』）

……………………

エボシ御前の自然破壊に対して、アシタカの自然保護。(『もののけ姫』(一九九七年))

主人公についてのストーリーではなく、主人公と敵対者の——そして、二人の関係のストーリーを作って下さい。そうすることで、対立関係にリアリティのある流れが生まれ、プロットの要所でテーマをしっかりと表現できるでしょう。

三つのアークとテーマから敵対者を考える

敵対者がプロットの中で目指す目的は、テーマと関連した主人公が信じているものとは正反対のことです。主人公がテーマの「真実」を表そうとすれば、敵対者は「嘘」を表します(主人公が「嘘」なら敵対者は「真実」)。

思想や存在についての議論をさせろというわけではありません。両者は同じ場にすら居合わせなくてもいいほどです。ただ、プロットで敵対者が何らかの障害となるたびに、必ず主人公のアークは反応をすべきです。

キャラクターアークには多くのバリエーションがありますが、基本的には三つに大別できます。それぞれのアークを参考にすれば、敵対者がプロットとテーマに対して演じる役割がわかりやすくなるでしよう（キャラクターアークの基本については巻末の付録を参照して下さい）。

1. 主人公がポジティブな変化のアークをする場合

物語の始めでは、主人公はテーマの「真実」に対して否定的です。「嘘」を信じ込んでおり、「真実」に抵抗を示して拒絶します。やがて、メインコンフリクトが生む出来事で「嘘」の限界に気づき、主人公は「真実」を受け入れ始めます。

それに対する敵対者のあり方は二通りです。

一つは、敵対者も「嘘」を信じて従うパターンです。その「嘘」は主人公が信じるものと同じか、それよりも大きい「嘘」です。

主人公も「嘘」を信じていますから、互いの立ち位置は似ています。目指すものは相容れませんが、主人公は敵対者に関心を抱き、共通点を感じています。少なくとも「嘘」を信じ込んでいる点では似た者同士です。

やがて、主人公は「嘘」に気づいて「真実」を求め始めますが、敵対者は価値観を変えません。最終的にはツケが回り、主人公の新たな「真実」に打ち負かされます。

もう一つは、敵対者が最初から「真実」を信じ、主人公の「嘘」に反対するパターンです。主人公に「真実」を示し、「嘘」から脱却させようとします。このタイプの敵対者には、あくどさも曖昧さもありません。主人公が想いを寄せる相手など、重要な関係にあるキャラクターに多く見られます（例：主人公がその相手と結ばれるには「嘘」の克服が必要）。

2．主人公がフラットなアークをする場合

フラットなアークをする主人公はテーマに関連する信念を変えず、一貫して「真実」を主張します（逆に、「嘘」を信じ続ける悲劇的なものもあります）。確固としてテーマに従い、他の主要なキャラクターたちを変えていくでしょう。テーマを信じる力を使い、プロット上の目的地を目指します。

主人公自身は変化せずに一つの思想を貫き、テーマを表現します。主人公が「真実」を示すのと同じ強さで敵対者は「嘘」を示し、衝突します。

この衝突を経て、敵対者は（ポジティブまたはネガティブな）変化のアークをするかもしれません。ですが、ブレない主人公に比べて見劣りしないよう、注意が必要です。主人公のように揺るぎない主張をさせて、テーマの議論（と、ストーリー）をパワフルにして下さい。

3．主人公がネガティブな変化のアークをする場合

ネガティブな変化のアークは、さらに複数の種類に分かれます。まず、物語の始めで主人公が「真実」に対して否定的か、肯定的か。否定的な場合は、「嘘」を信じていた主人公が「真実」を知って幻滅するパターンと、さらにひどい「嘘」へと墜ちるパターンの二つがあります。肯定的な場合は、「真実」を信じていた主人公が、まっしぐらに「嘘」へと墜ちていきます。

敵対者は一貫して「真実」を主張し、主人公の「嘘」に対抗しますが効果はありません。または、敵対者が「嘘」を主張して、主人公を破滅に陥れます。

ストーリーの中で敵対者が満たすべき四つの条件

どのキャラクターを敵対者にするかは、慎重に決めて下さい。選択を誤れば、ストーリーは脱線します。全体をしっかりとまとめるために、ぜひ、正しい選択を。敵対者をストーリーのあらゆる面で活用できるよう、次の四つの条件を確認しておきましょう。

1．プロットの中で、主人公と真正面からぶつかっている

敵対者とは、結局のところ、目的を達成しようとする主人公の前にある障害物に過ぎません。主人公に反対し、真正面から衝突するのが役目です。道端に立ってちょっかいをかけたり、遠くから石を投げたりするキャラクターではありません。敵対者とは、道の真ん中で主人公の頭に銃を突きつけ、降伏しろと迫る存在です。

主人公の正面に立ちはだからないキャラクターは、メインの敵対者にはなれません（そのキャラクターと戦わせても、主人公のメインコンフリクトと目的との関連性はありません）。

次の質問について考えてみて下さい。

●プロットの中での、主人公の主要な目的は何か？
●主人公のWANTは何か？
●主人公にとっての障害物になるのに最適のキャラクター（あるいは物）は誰か？
●シーンの中で、そのキャラクター（あるいは物）が主人公に真っ向から対立するとしたら、何をするか？

2. テーマの主張で、主人公と真正面からぶつかっている

敵対者はテーマの歯車の中心であり、対外的な衝突の原動力です。それは、主人公の内面の葛藤を暗喩として表す存在だということ。ですから、敵対者自身のあり方と、敵対者が引き起こす衝突は、必ずテーマに直結しているはずです。

どのキャラクターも何らかの形でテーマを表すべきですが、メインの敵対者にはストレートにテーマの主張をさせて下さい。それ以外の「嘘」や「真実」を追わせたり、テーマを何も表さないところを見せたりすると議論が空転し、主人公のアークからテーマが欠け落ちてしまいます。

敵対者が正面から対決を挑まなければ、テーマに従う必要すらなくなります。ストーリーの力も乏しくなり、主人公が何を見出したとしても、敵対者の主張に打ち勝つこととは結びつきません。

次の質問について考えてみて下さい。

- もともと敵対者は主人公と同じように「嘘」を信じているか、あるいは主人公の「嘘」に対して敵対者は「真実」を信じているか？
- そのキャラクターは、主人公にひどく似ているところがいくつかあるか？
- そのキャラクターは主人公が必死に目指す憧れの姿か、あるいは主人公が「ああはなるまい」と必死に避けている姿か（または、すでにそうなっていて、自己嫌悪に陥っているか）？

●そのキャラクターは主人公を「真実」から引き離し、ストーリーの目的地に到達できなくなるような誘惑ができるか？

3．主人公のある側面を映し出している

テーマの表現の一つとして、主人公を歪んだ鏡で映し出すのも敵対者の役目です。これを使って主人公の「嘘」のダークサイドを見せましょう。また、主人公の運命をちらりと予兆のように示したり、過去にしたことの報いや「別の人生を歩んでいたらこうなったはず」という姿を垣間見せたりするのに使うのも、よい考えです。

敵対者はたいてい「ネガティブなインパクト・キャラクター」でもあります。つまり、光を求める主人公に「嘘」の闇を見せつけ、ネガティブな影響を及ぼす存在です。敵対者とは対照的な特徴がある主人公にもショッキングな共通点を与えると、テーマについて考える糸口ができるでしょう。

次の質問について考えてみて下さい。

●主人公が進路を誤るとどうなるかを表すのに最適のキャラクターは誰か？
●主人公がなりたい姿を体現するのに最適のキャラクターは誰か？
●主人公と同じようなバックストーリーを持つキャラクターは誰か？

●これまでに主人公が体験した最悪の失敗を表すキャラクターは誰か？　または、同じような失敗体験を持つのは、どのキャラクターか？

答えられないものがあってもかまいませんが、少なくとも一つにはしっかりと答えられることが理想です。

4．最初から主人公を妨害している

物語の一貫性を維持するには、対立や葛藤にも一貫性が必要です。そのためには、必ず一ページ目から、メインの敵対者が主人公の主な目的に反対するように設定しましょう（そのことをすぐに明かす必要はありません）。

主人公が決まった目的に向かっていても、新しい敵対者が途中で現れる場合、対立関係やテーマの一貫性が揺らいでしまいます。

最初は主人公と敵対者が互いのことを知らず、後で対立関係に気づくような流れにすることも可能です。キャラクター（と、読者）が振り返った時に、メインの敵対者が最初から動いていたことがわかるように描いておきましょう。

次の質問について考えてみて下さい。

- クライマックスの最終決戦に登場する敵対者は誰か？
- 主要な構成のビート（物語の筋を小分けにした単位）をすべて見る。先の問いで答えた敵対者は、主人公のメインの敵対勢力として、どのように存在しているか？
- その敵対者を、最初のシーンから障害物（または障害物を作る可能性のある者）として設定するにはどうすればよいか？
- インサイティング・イベントで、その敵対者の力と主人公はどう「衝突」するか？
- プロットポイント1で、この敵対者はどのように主人公をメインコンフリクトに引きずり込むか？

テーマが訴える「真実」と「嘘」を意識しながら敵対者のアクションを考えて、プロットを作って下さい。そうすれば、しっかりとした物語になります。敵対者とテーマの関係を掘り下げて、主人公のアークを別の角度から映し出せば、ストーリーはさらに豊かになるでしょう。

第4章 脇役を使ってテーマを発展させる

「私が心変わりをすれば態度を変え、
私が頷（うなず）けば頷くような友は要らない。
それなら自分の影を見る方がましだ」
——プルタルコス

「ここで騒ぎを起こしたい」という理由で、新しい脇役を作った経験がある人は、きっとたくさんいるでしょう。

ここぞというところで、面白くて意外なキャラクターを登場させるのは楽しいものです。でも、それが本当に効果的かを振り返り、考え直してみたいと思います。

重要な脇役であるほど、対立や衝突が一度きりで終わっていないかの確認が必要です。テーマを表現する基盤（主人公のアークと、プロット内での敵対者との対立）ができたら、脇役も最大限に活かしましょう。テーマをさらに巧みに織り込み、サブリミナル的な効果を強めることができます。

全体のテーマを大きな鏡だと想像してみて下さい。それが割れて、破片が床に落ちたとします。一番大きな破片は主人公。二番目に大きな破片は敵対者。それ以外の破片は他のキャラクターたちです。どの破片もテーマを映します。みな、一つの同じ大きな絵のピースです。

ピースが大きいほど（つまり、キャラクターの役割が大きいほど）、テーマとのつながりも大きくなります。しかしながら、ただの通行人のように小さなキャラクターでも、象徴的な表現ができなくはありません。

騒ぎを起こすきっかけを作る脇役なら、たとえば、酔っ払った炭鉱夫、バーテンダー、少女、派手なギャンブラー、大家さんなど、いろいろな候補がありそうです。騒ぎを起こすだけの役でも、キャラクターの選択次第で印象は変わるでしょう。

脇役たちもテーマを念頭に置いて選んで下さい。大変なようですが、慣れてくれば、選択や調整が自然にできるようになります。意外性があって多面的なキャラクターを、楽しみながら、効果的に作れるようになるでしょう。

脇役はどのようにテーマを表すか

主人公が一人で孤島にいても、何らかのテーマは見つかるでしょう。でも、二、三人の脇役を登場させれば、テーマの面でのまとまりや読者の共感が促せます。

では、いくつかの方法を見ていきましょう。

1．脇役でテーマへのアプローチを強調する

例として、主人公が人を肩書で評価するのをやめ、実際の行動を見て尊敬するようになる物語を書く

とします。テーマを簡潔に言うと「尊敬」です。

すると、尊敬あるいは軽蔑について、いろいろな側面が描けそうです。自分を尊べるか。先輩を敬えるか。後輩を尊敬できるか。何か一つの問題について、主人公に取り組ませます。同じようにして脇役たちの一人ひとりにも、彼らなりの問題を与えます。偉い人をつい見下してしまうキャラクターや自尊心が持てないキャラクター、はったりをかけて自分を偉く見せようとするキャラクターなどです。

複数のキャラクターたちに少しずつ角度を変えてアプローチをさせれば、多角的にテーマを眺める素材が揃います。

2. 相棒と主人公を対照的にする

相棒は主人公をがっちりと支えるキャラクター。旅に連れ添い、主人公を力づけます。主人公と相棒には、多くの共通点があるでしょう。

しかし、大きな違いもあるはずです。テーマはそこに表れます。違いのよしあしは問いません。たとえば、主人公がお金持ちだけを相手にするなら、相棒はよいおこないをする人を大事にする。あるいは、主人公が誠実で尊敬されるタイプなら、相棒は人を騙して偉そうに立ち回る、など。

二人の信念や行動を対比させながら、テーマに焦点を当ててみて下さい。

3. 敵対者と主人公を比較する

前の章でも述べましたが、ストーリーの最も重要な点は「敵対者も主人公とそれほど違わない」ことから生まれます。脚本コンサルタントのマイケル・ヘイグは著書『Writing Screenplays That Sell（未）』で次のように述べています。

ヒーローと敵の共通点と、相棒との違いが明らかになる時、そこからテーマが生まれる（中略）。ヒーローが克服すべき欠点を、敵が表現していなくてもかまわない。ヒーローと敵の共通点は長所でも短所でもいいし、それを明かす箇所は冒頭でも結末でも、その中間のどこかでもいい。唯一のルールは、似ている点を見つけることだ。

主人公も敵対者も貧しい育ちで偏見を受けてきたなら、どちらも「尊重されるのは裕福な者だけだ」と信じているでしょう。その共通点からテーマが描けます。主人公はどんな誘惑に弱くて、その誘惑に屈すればどうなるか（伏線がたくさん仕掛けられます!）。そうした警告のような部分には、テーマに関するサブテキストが満ちています。

テーマを伝えるには、脇役たちもうまく使いましょう。表現の可能性が広がるだけでなく、ストーリーの中で自然にテーマが展開できます。

脇役とテーマを磨く

物語のテーマを強化して深めるために、脇役が演じる役割も、うまく振り分けましょう。チャンスを逃さず活かせるように、次の六つの質問について考えてみて下さい。

1. それぞれの脇役は、テーマをどのように訴えるか？

キャラクターたちをじっくり眺めてみて下さい。全員がプロットを動かす役目を果たしていれば、テーマに対する影響力は強いはずです。それでも、キャラクターの数が多ければ、うっかり何かを見落とすこともあるでしょう。脇役たちをテーマと照らし合わせると、プロットとの関連が弱い部分が見つけやすくなります。

物語のテーマが生む問いを思い浮かべてみて下さい。それらの問いを、主要なキャラクターのそれぞれが、何らかの形で問いかけている（あるいは答えている）でしょうか？

物語のテーマが「義務」についてだとすれば、「義務とは何か？」「横暴な人に対しても、義務を果たすべきか？」「たとえ自分の良心に反しても、義務を重視すべきか？」「義務を言い訳として使ってもよいのか？」といった問いを、いろいろなキャラクターたちにさせるのです。
問いがバラエティに富むほど、より多くの角度からテーマを描き出すことができます。

2. テーマのポジティブな面を反映する脇役は誰で、ネガティブな面を反映する脇役は誰か？

何人かのキャラクターに「真実」を擁護させ、その他の何人かには、彼らと同じように熱く真剣に、筋道を立てて反対させましょう（あなたが時折、敵対者の言い分に同意しそうになるなら、よい具合に進んでいる証拠です）。

複数のキャラクターがまったく同じ意見でいるなら意味がありません。できる限り、違いを持たせましょう。少なくとも、次のそれぞれを表すキャラクターが作れているかを考えてみて下さい。

- 「真実」を断固として信じ続けるキャラクター。
- 「嘘」を断固として信じ続けるキャラクター。
- 「嘘」を信じるのをやめ、「真実」へと変化のアークを遂げるキャラクター。
- 「真実」を信じるのをやめ、「嘘」へと変化のアークを遂げるキャラクター。

3. テーマと主人公に影響を及ぼすキャラクターと、逆に影響を受けるキャラクターは？

主人公とプロットとテーマの関係は、構成と象徴的な表現の両面で、ストーリー全体に一貫性をもたらす背骨のようなものになります。それは、全体の機能を評価する基準でもあります。脇役たちは主人公とプロットを縫い合わせ、また、主人公とテーマを縫い合わせる針のような存在です（プロットとテーマの両方に働きかけるのが理想です）。

テーマを問いの形で表して脇役たちに答えさせ、テーマが浮き彫りになるようにしましょう。彼らの答えは「真実」に対する主人公の気づきや、プロットの中での対立の克服を助けます。あるいは、逆に、「真実」から主人公を引き離し、ネガティブな結末の表現に一役買います。

そのようにして主人公は脇役たちに影響を受けますが、主人公が脇役たちに及ぼす影響の方が大きいでしょう。特に、主人公が「フラットなアーク」をする場合（主人公がずっとテーマの「真実」を貫き、変化しないタイプの物語です）、脇役たちが価値観や考え方を変える側になります。

4．脇役たちが自分の目的や葛藤を、テーマに照らし合わせたら何と言うか？

脇役たちを「真実を信じる側」と「嘘を信じる側」に振り分けたら、さらに深く考えましょう。それぞれのシーンの中で、彼らの考え方や態度は、あたかも編み針を進めるかのようにプロットを進展させているでしょうか（説明として語るのではなく、描写による表現で）？

わかりづらければ、脇役自身が何を目指しているかを具体的に決めて下さい。まず、プロット全体での目的地。次に、シーンの中での目的を考えて決めます。

主人公の動きを確認するのに忙しくしていると、脇役たちの目的とテーマとの結びつきまでは、なかなか意識できません。シーンの中での脇役の動機や欲望にも目を向けること。そうすれば、彼らの人間性が豊かに表現できますし、プロットの中での対立や葛藤にも繊細な彩りが生まれ、さらに深くテーマを追究できます。

5. 脇役たちの「クライマックスの瞬間」は、テーマと結びついた主人公と物語にとっての「クライマックス」をどう反映するか？

主人公は構成とテーマの両方に一貫性をもたらします。「クライマックスの瞬間」で対立に決着をつけ、テーマの主張を「立証」します。その補助をするのが脇役です。主人公を霞ませないように、配慮をして下さい（クライマックスで主人公以外のキャラクターが急に中央に躍り出るなら、誰が主人公かを再検討すべきです）。

クライマックスの場面に登場するキャラクターもいるでしょうが、他のキャラクターの大半は、それよりも前にプロット上の役目を終えているはずです。どちらの場合も、頂点である主人公のフィナーレの前までに、テーマについて何かを表現させる場を見つけておいて下さい。

脇役たちの表現の流れは、だいたい次のようになるでしょう。

- 積極的に主人公に影響を与え、テーマの主張を完結へと向かわせる。
- 主人公がテーマに従いクライマックスでおこなう選択によって、ダイレクトに影響を受ける。
- 主人公が迎える結末を伏線として表現するか、反映する。補助的または皮肉な形で、象徴的に示す。

6．テーマを反映しない脇役がいたら、どうするか？

脇役についての最後の質問です。テーマとは関わりのない脇役や、テーマを反映しない脇役がいるとしたら、どう扱えばいいのでしょうか？

登場人物全員にテーマを表現させる必要はありません。キャラクターによっては、ある章の最初に騒動を起こす役割だけでいい場合もあります。念のために、テーマの表現を深めるための二つの判断基準を見ておいて下さい。

1．登場人物が少ないほど、一人ひとりのテーマの表現は濃くすべき

四人家族とその周辺の数人だけで展開するアーサー・ミラー作の戯曲『セールスマンの死』のような物語なら、すべてのキャラクターが重要です。プロットとテーマの両方を意識して、一人ひとりを具体的に、鋭く描くこと。大人数のキャストが登場する物語なら、そうした描き込みが欠けるところがあったとしても、許容範囲は広いでしょう。

2. 重要な人物ほど、テーマに関する大きな足跡を残す

わずかな出番で大きなインパクトを与えるキャラクターもいなくはありませんが、基本的に、ストーリーの中での重要度は役の大小に比例します。「仲間」や「敵」はプロットとテーマに対して、最も大きな影響力を持つ存在です。セリフがない通行人などは、もちろん重要度は最も低く、個性も意味も与えずに済みます。登場するシーンやセリフが増えるほど、テーマの面での重要度が高くなります。

基本的に、プロットを動かすキャラクターは、テーマと結びつけることが必要です。意識しにくいことですが、実は、脇役とテーマも相互に助け合う関係にあります。脇役をしっかり描けば、テーマもしっかり表現できます。また、テーマの表現がうまくいっていれば、脇役たちも鮮やかに描けていると考えてよいでしょう。ストーリーをくまなく、手堅く仕上げるために、テーマの面から脇役を精査（また、脇役の面からテーマを精査）して下さい。

脇役を使ってテーマを複雑に表現する

「それなら、小さな脇役も全員、完全なキャラクターアークをさせるべき？」と疑問を感じる人もいるでしょう。答えは「いいえ」です。そこまで作り込むのは無謀ですし、また、不可能でしょう。やりす

ぎないようにして下さい。

役の大小に関わらず、複雑に作り込みたい脇役がいる時は、次の五点について考えて下さい。

1．その脇役のWANTは何か？

フランケンシュタイン博士は死体を蘇生させ、モンスターを作り出しました。その話にたとえるならば、モンスターを覚醒させて動かす「高圧電流」に当たるのが、「何がほしいか（WANT）」という問いです。このことは、主人公から通行人まで、あらゆるキャラクターに当てはまります。

脇役たちにありがちなのは、次の二つの問題のいずれかです。

1．結局、何も求めていない。
2．何かを求めている場合は、次のいずれかになっている。
　a．主人公が望みを叶えるのを手伝いたい。

　b．主人公が望みを叶えるのを食い止めたい。


これだけで済まさず、もっと個性を出しましょう。私もアウトライン（ストーリーの執筆前に作られる「地図」のようなもの）作成時に「何がほしいか」と考えてみた時に、脇役たちが1か2のどちらかで落ち着いてしまっているのに気づき、焦ったことがあります。脇役自身の夢や希望、狙いを設定すると、主人公との関係やメインコンフリクト、プロットが大幅に改善できました。

あなたもぜひ、考えてみて下さい。のほほんとしているだけの脇役が、プロットの進行に役立つ存在になるでしょう。また、純粋に、キャラクターとしても面白い個性が生まれます。

2. 脇役の目的は何か?

脇役に何かを求めさせるだけでは不十分です。キャラクターはそれなりに、望みを叶えるための行動計画を立てているはずです。よいストーリーでは、主人公の願いがたやすく叶わないのと同様に、脇役たちも苦労をします。誰かと対立させ、激しい抵抗にも遭遇させて下さい。葛藤や対立を増やしましょう。

さらに、よくするための方法があります。他のキャラクターたち——特に、主人公——にも、彼らが求めるものを追求させて、脇役たちと衝突させるのです。そのようにして、互いに抵抗させ合うようにして下さい。

たとえば、主人公は宇宙船の女性操縦士で、銀河を救うことが目的だとします。彼女の母親は、この危険なミッションを必死で止めようとして抵抗します。母親の目的はとにかく娘を行かせないこと。人事担当者に嘘をつき、娘を「守る」ためなら、わざと娘にケガをさせることだってするかもしれません。

キャラクターたちの望みが互いに衝突するような設定を考えて下さい。

3. 脇役はどんな「嘘」を信じ込んでいるか？

主人公が完璧な存在ではないように、脇役にもまた、迷いがあります。複雑な思い込みに囚われ、それに駆られて行動する時もあるでしょう。

どんなキャラクターアークでも、キャラクターが信じ込んでいる「嘘」が、その根底にあります。「嘘」に従って欲望や隠れた動機が生まれると、キャラクターはそれを正当化します。

先ほどの、娘を必死で守ろうとする母親の例に戻りましょう。この母親が「嘘」を信じ込むようになったのは、過去に長男を守れなかったことが原因だとします。ヒロインの兄であるこの長男が戦死したとすると、たとえ国家のための英雄的な死でも、娘に同じことをさせたくないと強く思うでしょう。彼女は娘を殺しかねない勢いで、ミッション参加を止めようとするかもしれません。

もう少しおだやかな例を挙げましょう。チャールズ・ディケンズ作『リトル・ドリット』の主人公エイミーの姉と兄は、借金が払えず二十年以上も獄中にいる父を恥じ、自分たちは見栄をはるべきだと思い込んでいます。彼らが自尊心について抱く「嘘」が下地となって、主人公エイミーとの間に見事な対立関係が生まれています。エイミーは姉と兄の愚かさに気づき、下劣な態度だと言って拒否します。「嘘」は脇役のための「出発点」を作ってくれます。それはあたかも、背丈のところで柱に印を刻むようなもの。「嘘」を信じている時の脇役は、ストーリーのゼロ地点を示します。エンディングでは対照的に、どれだけキャラクターが成長（あるいは後退）したかを示すこと。主要な脇役たちには、何らかの形で、最初とは異なる状態で結末を迎えさせて下さい。

4. 脇役の「嘘」はどんな欠点を生むか？

信念は行動に表れます。脇役たちには誤った信念を持たせるだけでなく、それを誤った行動パターンへとつなげましょう。映画脚本術の名著がある講師ジョン・トゥルービーは、欠点を二つのカテゴリーに分けています。

1. 心理面の欠点

自己の内面にある欠点。キャラクター自身のみが傷ついています。

▼例

ポーは自分が太っていて、何の取り柄もないパンダだと思い込んでいる。そんな自分でいるだけでも、毎日がつらい。（『カンフー・パンダ』）

2. 倫理面の欠点

外に表れる欠点。他の人々を傷つけていきます。

▼例

『カンフー・パンダ』の敵対者タイ・ランは、「龍の戦士」にふさわしいのは自分だけだと信じている。彼はそれを示そうとして平和の谷をめちゃくちゃにし、師を殺しかける。

倫理面の欠点が、心理面の欠点の延長線上にあることに注目して下さい。ポーが心に自己嫌悪を抱えている限り、谷を守る実力を自覚できず、みんなのためにもなりません。さらにわかりやすいのは、タイ・ランです。周囲に対して暴力を振るう性格は自分の将来のためにはならず、心の健康にとっても害になります。

欠点があるために欲求が生まれ、目指すべき目的が生まれることもありますが、ただ欠点だけが存在する場合もあるでしょう。キャラクターの目的は大切ですが、脇役ならば欠点だけを与えてみてもいいかもしれません。人物像を掘り下げることなく深みが出せます。

たとえば、近所の住民のキャラクターなら、「新しい靴、素敵ね」と褒めてくれる優しいおばさんと、玄関先で会うとホースで水をかけてくる不愛想なおばさんとでは、欠点がある方が面白味があるでしょう。

5. 脇役はどんな「真実」に気づくか？

「包括的」な脇役と聞けば、どんなイメージを思い浮かべますか？　丸く包み込むようなイメージですね。包括的なキャラクターは、一周して必ず元に戻ってくるのです。キャラクターが信じる「嘘」は、物語のオープニングの柱に付けた「印」のようなものでした。最初のセットアップであり、お膳立てです。

物語の中でキャラクターが終着点にたどり着く時は、「真実の瞬間」を与えてセットアップを回収しましょう。自分自身について、何か深い気づきを与えて下さい。正しいと思い込んでいた「嘘」や誤った目的、自分の欠点などに気づかせること。それに対するキャラクター本人のリアクションは、次のいずれかです。

1.「真実」を受け入れ、「嘘」を拒絶する——ポジティブな終わり方をする。
2.「真実」を拒絶して、ますます「嘘」にしがみつく——ネガティブな終わり方をする。

脇役の「嘘」と「真実」は主人公のものより小さくてシンプルですから、信念や価値観の変化も単純です。こまかい変化をすべてプロットに書き込む必要はありません。目立たないキャラクターほど、物語の中でのビフォーとアフターはシンプルにします。

ほとんどの脇役は、主な見せ場を二つ作れば足りるでしょう。セットアップで「嘘」と欠点、WANTと目的を紹介し、「真実の瞬間」で結果を描いて回収するだけで問題ありません。どんなに小さな役でも欲望と目的と欠点を描けば多面的に見えます。「嘘」と「真実」のセットアップをし、後に回収をすれば、主人公の旅路を補助する形で、脇役のアークが追加できます。

脇役を使って主人公を豊かに表現する

主人公の運命をさまざまな角度からテーマに照らし合わせ、最も深いレベルで表現するのが脇役たちの役割です。「嘘」と「真実」の軋轢によってキャラクターアークとテーマを描き出すわけですから、ストーリーに出てくるものはみな、何らかの形でテーマを反映しているはずです。脇役たちも例外ではありません。

脚本家マット・バードは「Parallel Characters in Sunset Boulevard（『サンセット大通り』（一九五〇年）に見るパラレル・キャラクター）」と題された投稿で、次のように述べています。

主人公のクローンのようなキャラクターを彼もしくは彼女の周囲に登場させて、教訓またはロールモデルとして主人公の行く末を表現する。

また、世界的なシナリオ講師ロバート・マッキーの著書『ストーリー――ロバート・マッキーが教える物語の基本と原則』には、こうあります。

ある主人公がいるとしよう。この人物は愉快で楽観的だが、気むずかしく悲観的でもある。情け深いが残酷で、こわいもの知らずだが怯えることもある。四次元の主人公の矛盾を描き出すには、取り囲む人物たちが必要であり、時と場所を変えてつぎつぎ対峙することで、主人公に多様なアクションとリアクションが生まれる。脇役は、主人公の複雑な人物像を、信頼できる一貫したものへと仕上げる存在でなくてはならない。(越前敏弥訳、フィルムアート社、四五八頁)

登場人物が千人いても、そのうちの九九六人はエキストラのような位置づけになるでしょう。彼らは、次に挙げる四人の重要なキャラクターに文脈を与えます。

1. 主人公
2. 敵対者
3. 相棒
4. 想いを寄せる相手

これらの重要なキャラクターは、「ただ配役をすれば終わり」ではないことに注意して下さい。四者を存分に活用するには、テーマに対して全員がしっかりと役割を果たさなくてはなりません。

では、これらの役柄を順に、見ていきましょう。

1．主人公はメインテーマの原理を示す

物語の中心となるテーマが肯定されるか、否定されるかは、主人公が最終的に示すものだと読者は期待しています。主人公は正しい主張を貫いて周囲を変える（フラットなアーク）か、誤った思い込みを自分の中で修正していきます（変化のアーク）。

2．敵対者は主人公のテーマの原理の裏面を示す

テーマの主張を立証するには反論も必要です。議論が激しく対立すれば、優れたテーマが浮き彫りになるでしょう。名作と呼ばれる作品は、あらゆる角度からテーマを眺め、問題と真摯に向き合っています。

前の章で述べたように、敵対者は主人公と正反対の考えを持って反論をします。しかし、それだけで

議論が白熱するとは限りません。議論が最も激しくなるのは両者に共通点がある時です。選ぶ手段や目的意識に似たところがあれば、敵対者だけでなく主人公の考えもまた、危ういことが浮上するからです。

3. 相棒は主人公の主張の価値を立証する

相棒も敵対者と同じく、主人公と似て非なる存在です。ただし、相棒は非なる部分で主人公の人物像を映し出すことが最も重要になります。

たとえ名目上でも相棒は主人公側に立ち、主人公と同じ倫理観を持つ存在です。ですが、主人公との違い――「真実」を貫いたり、「真実」を目指して変わろうとしたりする主人公とは相容れない部分――によって、主人公の主張や勝利の必然性に強い疑問を投げかけることができます。

敵対者だけでなく、こうした「主人公を映し出すキャラクター」にも複雑な側面を与え、コントラストをつけるのは非常によいことです。敵対者は主人公と衝突しますが、主人公に似たところも多い存在。それに対して、相棒や仲間は主人公と共に戦います。彼らには、主人公とは異なる長所や短所を表現させて、差別化を図って下さい。

4．想いを寄せる相手はインパクト・キャラクターとして行動する

想いを寄せる相手が登場しないストーリーもありますが、登場させる場合は主人公を導く「インパクト・キャラクター」の働きを担います。他の重要なキャラクターは主人公に象徴的な変化を促し、障害物を出して妨害しますが、想いを寄せる相手は主人公の成長を測る指標になるのです。

主人公が「真実」にどれだけ近づいているかによって、想いを寄せる相手はご褒美を与える（近づく）か、あるいは罰する（離れる）かで、主人公を象徴的に評価します。

想いを寄せる相手も完璧な存在ではありませんし、「真実」を完璧に理解しているとも限りません。ただ、主人公がテーマの「真実」に従わなければ獲得できない価値を、感覚的に表現します。

登場人物が多い作品なら、こうした定番のキャラクターが複数いるかもしれません。そのような場合も、これら四者の相互関係を築き、テーマの表現を磨き上げて下さい。四者がしっかりと揃えば、ストーリーの力強い流れが実感できるはずです。

わかりやすい例として、『アイアンマン2』を見てみましょう。主人公トニー・スタークがテーマにまつわる選択をするのに対して、他のキャラクターたちは彼のある側面を反映したり、彼の未来を暗示したりしています。

イワン・ヴァンコ／ウィップラッシュ

敵対者は主人公の人物像を最も鮮やかに映し出します。両者に似ている面があるからこそ、敵対者は主人公を「嘘」に引き寄せたり、警告して突き放したりできるのです。

ヴァンコとトニーはかなり似ています。どちらも天才的な発明家であり、父親もまた天才的な発明家（どちらも熱プラズマ反応路「アーク・リアクター」の開発に関与）。父親に対する苦い記憶があるのも同じ。そして、ヴァンコもトニーも「物事を正す」ことを意図しています。一つ間違えば、トニーはヴァンコのようになってもおかしくはありません（そして、シビル・ウォーが間近に迫る頃には実際に、そうなっています）。

ジャスティン・ハマー

もう一人の敵対者であるハマーも、さらに別の角度から、鏡のようにトニーを映しています。彼も発明家で大手兵器製造企業のトップ（ですが、トニーのような天才ではなく、会社の業績もトニーより劣っています）。頭のよさや、わがままな性格も共通点（ただし、トニーのように恰好よくないし、人気もありません）。また、彼も自己中心的な策略家です（この点はトニーと同じ）。

ハマーが節操なく武器製造を進めるところは、過去のトニーを表しています。勝つためなら平気で汚い手口を使います。

ナターシャ・ロマノフ／ブラック・ウィドウ

ナターシャは、マーベル作品では長く人気を博しているスパイのキャラクター。『アイアンマン2』に彼女が登場しているのは、トニーが将来、不本意ながら「シールド」とアベンジャーズに参加することの伏線となっています。本作では「嘘」と「真実」の表現というよりは、主に、トニーの役割のいろいろな部分を表面的に映し出します。

ペッパー・ポッツ

ペッパーはトニーとは恋人未満の関係ですが、有能であるため、トニーに乞われてスターク社の経営権を譲り受けます。これにより、CEOとしてのトニーの役割を、彼女の姿を通して表現。また、トニーの内面の葛藤をアクティブな形に変えて表しています。彼が何かを決めようとするたびにペッパーとの議論が必要で、口に出さざるを得ないのです（「優れた」CEOとしてのトニーの一面をペッパーが表しています）。

彼女はトニーが想いを寄せる相手であり、また、メンターのような存在として「真実」を表します。彼女はトニーとは正反対。思慮深くて責任感があり、真面目で親切です。そうした「真実」をトニーが完全に受け入れさえすれば、理想の主人公になれることを示しています。

ジェームズ・〝ローディ〟・ローズ／ウォーマシン

トニーの親友であり、正義感あふれるローディは、トニーの明るい面と暗い面の両方を映し出すキャラクターです。彼はトニーとは違い、パワースーツをパーティーの余興などには使いません。責任感が強い彼の人柄は、ペッパーと同じように、トニーが理想とする一面を示しています。トニーが自らの技術を政府にゆだねてしまった場合にどうなるかも、ローディが暗示します。彼のパワースーツはヴァンコに操られ、人々を攻撃する殺人マシーンに転じてしまいます。

ハワード・スターク

トニーの父親ハワードは過去に撮影されたフィルムを通して登場します。天才である父との関係は複雑で、トニーの心は傷だらけ。ですが、トニーの将来を垣間見せる役割として最も重要なキャラクターでしょう。

ハワードはどのキャラクターよりも、トニーと共通点が多いです。どちらも素晴らしい才能があり、人間関係の構築が苦手で、心に強い葛藤を抱えたプレイボーイ。トニーは父を憎んでいますが、実は自分を憎んでいるのです。この葛藤を乗り越えなければ、心の平穏は得られません。

ストーリーの脇役たちを見直しましょう。彼らは主人公の性質や役割、起こり得る未来の姿を反映、あるいは代弁しているでしょうか？　テーマを前提にした上で、主人公との関わりを考え、さらに深く、パワフルに編み込む方法を考えて下さい。

第5章 テーマとメッセージを区分化する

「テーマは（中略）メッセージと同じではない。
僕が思うに、メッセージとは政治的な発言だ。
ある状況下での人々について言えることであり、
あらゆる読者に当てはまるわけではない」

――マイケル・ヘイグ

ストーリーにメッセージ性は必要でしょうか？　よく「フィクションでお説教は禁物」と言われます。小説は宗教や政治、社会のための演説ではないし、哲学的な考えを説明的に語るものでもありません。そのような意図で書けば、読者は離れてしまいます。伝説的なプロデューサーであるサミュエル・ゴールドウィンはこう言ったそうです。

メッセージを伝えたいなら電報屋に頼め。

それでも、世界の名作文学の多くが教訓的なメッセージを感じさせるのは皮肉なことです。ストーリーは、他の方法よりも、言葉を超えた何かを語る力を持っています。それこそが、偉大な芸術の秘密。作品には必ずメッセージが込められており――私たちが気づかないだけの場合もあります。私たちは娯楽のためだけでなく、学びや成長を求めてストーリーに触れます。考えさせられ、ひらめきをくれるストーリーを好みます。そのような深い体験は、作者の正直な思いによって紡がれたストーリーでなくては得られません。書き手は心血を注ぎ、自らの強い信念を掘り起こさなくてはならないのです。

書き手であるあなたに恵まれた最強の力は、あなた自身のユニークで完全な世界観です。フィクションを煮詰めていくと、その本質とは作者の視点に他なりません。個性豊かなキャラクターを揃えてうまく描けても、彼らの熱い世界観をあなた自身も共有しようとしないなら、読者には空虚なものしか与えられません。

では、演台を引っぱり出して熱弁をふるい、あなたの主張を読者にわからせようとすべきでしょうか？　もちろん、そうではありません。

「上から目線」でものを書けば、間違いなく読者はうんざりします。ストーリーにメッセージを込めることとは、書き手自身の意見を書くことではありません。難しい問いを投げかけることや、自分が強く信じているパワフルなテーマを選ぶこと。そして、白黒つけがたい問題に読者を挑ませる、多面的なキャラクターを作ることこそがストーリーにメッセージを与えるのです。

ストーリーの創作者になるということは、答えを提示することではありません。問いかけるのが仕事です。心理学者のエリック・マイゼル博士は著書『A Writer's Space（未）』で、あらゆる書き手が問うべきことについて、こう述べています。

書くことは解釈することだ。あなたはあなたの解釈を差し出す義務がある。何も言わず、誰も傷つけず、ちょっと楽しい物語を語るだけで、あとは知らんぷりをする選択肢もある。ただし、そうする場合も、それによってあなたは何かを言っており、私たちはそれを見ている（中略）。無難に済ませるか、自分の考えを述べるか。本音を隠すのが目的なら、なぜ、わざわざ読者や観客に向けて発表するのか？　わざわざ書き、自分の思いを伝えるなら（中略）心血を注ぎたい問題をリストアップしなさい。そのリストを読み返しなさい。そのどれかについて、今、あなたは書いているだろうか？　それがまだなら、なぜ書かないのか？

テーマとは「教訓」や「メッセージ」だ、というのはよくある誤解です。テーマが問う真実は人間の根底にある倫理を表すので、「物語のテーマは具体的に、万人に当てはまるものでなくてはならない」と思いがちです。

それは、あながち間違いでもありません。これまでにお話ししてきたように、テーマとは問いを投げかけて答えを示し、人々が今よりも正直に、倫理的に生きる道を考えさせるものです。しかし、テーマに従った生き方を教えるために、道徳的なメッセージを書こうとするのは大きな誤りです。

なぜでしょう？

このように考えてみて下さい。テーマを生き方にどう取り入れるべきかを読者や観客に伝えたいなら、万人に共通のシチュエーションを通して示さなくてはなりません。あまりに一般的で曖昧な（また、つまらない）物語になりそうです。道徳を教えようとする意図を隠すのは至難の業でしょう。

私が中学生の頃、読書課題として、たいていの子がすること（芝生を刈る、落としたお金を探す、誕生会に行くなど）についての物語がたくさん出されました。どれも結末は教訓めいた形で終わっていました。「いかにいい話でも、テーマではなくメッセージを伝えようとしているのは問題だ」と感じたことを、私はいまだに覚えています。

テーマとメッセージの違い

簡単に捉えてみましょう。

テーマとは、一般原則です。
メッセージとは、その具体例です。

（つい先ほど、メッセージを物語にすると曖昧になると書きました。この矛盾については、すぐに説明します）

これまでに見てきたように、テーマは壮大なものです。

テーマとは「隣人を愛せ」とか、「正義」や「慈悲」、「喜び」、「平和」、「愛」といったものです。メッセージとは、テーマを描くための具体的なシチュエーションを指します。物語のテーマがアクションとして表れたものが、メッセージです。

キャラクターは「嘘」を振り切り、テーマの「真実」へと変化のアークを進みながら、プロットの中で出来事に遭遇し、何らかの行動を起こします。そこに表れるのがメッセージです。この場合、シチュエーションは具体的に決まっています（実生活で私たちが体験するように）。それは全体的なテーマの中の、ほんの小さな一面でしかないでしょう。物語創作のソフトウェアを開発したメラニー・アン・フィリップスとクリス・ハントリーは著書『Dramatica（未）』でこう述べています。

キャラクターが真の解決を目指さず、自分が解決だと思うものを求めることはよくあります。対処している問題は、実は、真の問題が招く症状でしかない場合も多いです。

繰り返すと、正義や慈悲といった大きなテーマを噛み砕き、キャラクターが取り組めるように具体性を持たせることで、メッセージになります。『勇気ある追跡』のマティなら「父を殺した犯人を追って命を危険に晒しても、正義のためならその価値はある」となるでしょう。

テーマは全体を包むもの。メッセージは限定的なもの。テーマは万人に当てはまり、メッセージはキャラクターとそのシチュエーションにのみ当てはまります。

サム・ライミ監督の『スパイダーマン』（二〇〇二年）のテーマは「力には責任が伴う」で、メッセージは「責任とは全身タイツの恰好で悪者と戦うことだ」となります。『スパイダーマン2』（二〇〇四年）のテーマは「誰でも英雄になる可能性を持っている」で、英雄になるためのメッセージは「正しいことをするためには、普通の生活を営む夢を捨てなくてはならない」となっています。

「力には責任が伴う」は普遍的な真実です。あなたにも私にも、スパイダーマンにも当てはまることです。でも、私たちは力を得ても、クモの糸で悪を退治して責任を果たすことなどあり得ません。ストーリーのメッセージは、万人に当てはめるには限定的過ぎるのです。放射能を浴びたクモに噛まれた人たちにだけ適用されます。

それでは、テーマは？　テーマは「全体を包括」します。私たちみんなに言えること――だから、タイツ姿のクモ人間の話でも、私たちの心に響くのです。

この章の最初に、テーマよりもメッセージに焦点を当てるとストーリーは曖昧になり過ぎると述べました。メッセージの方が具体的であるはずなのに、なぜでしょう？

いわば、メッセージはテーマを読者に届ける運搬車のようなもの。メッセージを受け取る側が、車の中からテーマを取り出そうとする時に問題が起きるのです。

たとえば、中学時代の読書課題にこんな話がありました。「ビリーはお金を拾ってポケットに入れようとするが、やっぱり持ち主に届けることにした」。メッセージとテーマは同じです。ビリーに限らず、誰にでもありそうなことを通してテーマを語っています。実のところ、テーマをそのまま書いているのも同然です。そうするとメッセージは明らかにお説教っぽくなります。シチュエーションも漠然としていて、読者の好奇心や関心をそそりません。

テーマに合うメッセージの見つけ方

発想の順番としては、メッセージが先でテーマが後という方が多く、その逆はあまりありません。たいていのストーリーは、キャラクターが何らかのシチュエーションに陥って始まるからです。先にテーマを出して、それを表現するシチュエーションを答えるという進め方は多くはありません。

それでも両者はつながっています。テーマはメッセージを生みます。メッセージはそのストーリーだけに当てはまるとしても、必ず、それが示す包括的なテーマがあります。

先に引用した書籍の著者であるフィリップスとハントリーは「テーマは万物の普遍的な意味でなくても、特定のシチュエーションに当てはまる小さな真実にはなるでしょう」と述べていますが、その「小さな真実」がメッセージに当たります。

▼例
『ウォルター少年と、夏の休日』（二〇〇三年）の**テーマ**は人を信じること。**メッセージ**は「発言の真偽よりも、信じることに価値があり、家族を信じる方がよい時もある」。

シャーロット・ブロンテ作『ジェーン・エア』の**テーマ**は自尊心。**メッセージ**は「魂の自由のためには、たとえ一生に一度の恋でも犠牲にしなくてはならない時もある」。

アーネスト・ヘミングウェイ作『老人と海』の**テーマ**は勇気と忍耐の意義。**メッセージ**は「仕留めた巨大なカジキを持ち帰ろうとして失敗する方が、すべてをあきらめるより意義がある」。


まず、ストーリーのメッセージを自分で把握しましょう。それができて初めて、テーマを全体的にパワフルに、豊かなサブテキストを持たせて描けるのです。

複雑な倫理を問うには

テーマがあまりに単純で偏っていれば、読者は書き手の仕事が雑だと感じます。テーマの議論を全方向で展開しないのですから、読者に判断がゆだねられません。

テーマについての賛否両論を描いて下さい。あなたにとって、何が正しい（あるいは、「より」正しい）かがわかっていても、そちらに偏り過ぎないようにしましょう。テーマの表側にも裏側にも疑問を投げかけて下さい。

読者が一方を選ぶように説得するのは、作者の仕事ではありません。読者が自分で選べるように、あらゆる事実を提示することが大切です。

そのためには、まず、主人公に敵対する側にも議論の余地を与えるべき。どう見ても「悪い」側に落ち度があるなら、複雑な倫理の議論は起きません。

前章でも紹介したジョン・トゥルービーは、アカデミー賞の主演男優賞にノミネートされた『トランボ　ハリウッドに最も嫌われた男』（二〇一五年）について、次のように鋭く指摘しています。

当たり前のことに対する説教が前面に出ている脚本。他方の言い分を正当化するのは難しいため、複雑な倫理の議論はほぼ不可能だろう。

このように、白黒がはっきりしていて、議論の余地がなさそうな場合もあるでしょう。あなたのストーリーがそれに該当すると感じたら、次の二つの選択肢を検討して下さい。

選択肢1　新しい対立や衝突を見つける

物語の中心となる対立関係が単純になってしまうのは、キャラクターが一本調子で単純だからかもしれません。主人公と敵対者は議論の両サイドを代表する立場にありますから、特に注意して下さい。

善人が白い服を着て、けっして誤ったことをせず、自信たっぷりで――悪人が黒い服を着て子分を痛めつけ、時々独り言をつぶやいて「わっはっは」と笑っていたら――さらに掘り下げることをお勧めします。キャラクターの深い面を炙り出せば、対立もテーマも深くなるでしょう。

選択肢2　別の側面から倫理を問う

メインの対立が単純で、複雑な議論に発展させづらいなら、主人公がたどるアークの他の側面を掘り下げてみて下さい。メインの対立が迷いや葛藤を生まないなら、他にどんな材料があるでしょうか？

たとえば、次のような候補があります。

●望む結果を出すために、どんな手段を用いるか？
●醜い闇へと駆り立てる、自尊心や自意識、承認欲求はあるか？

●愛する人や尊敬する人との考え方の食い違いや対立はあるか？

パワフルなテーマは答えを出さず、問題を提起します。そして、そこで出された問いには、いくつもの答えがある場合が多いです。「真実」は一人ひとりの受け取り方で決まり、状況によって当てはまる時と、そうでない時があります。中国の諺には、こうあります。

真実は三つある。私の真実、あなたの真実、そして本当の真実。

あなたの真実だけを読者にわかってほしいなら、小説を選ばない方がいいでしょう。演説か説教（またはブログ）の方が向いています。でも、あなたの真実を読者と分かち合い、それについての面白い問いを投げかけたいと思うなら、小説はぴったりです。

テーマは探究するためにあります。でも、観光バスで眺めたい景色だけを見ているようではだめです。時にはバスから降りて暗闇を散策してみなければ、探究はできません。テーマが訴える「真実」とは正反対の面も見て、それもあなた自身の信念であるかのように、真摯に考えるべきなのです。テーマを支持する点を挙げるたびに、それと同じ正直さをもって、説得力のある反論をすべきです。

力強いテーマに「えこひいき」はあり得ません。偏りがあれば読者は鋭く感じ取り、書かれている「真実」を本能的に冷ややかな視線で捉えます。書き手の考え方の偏りを警戒するからです。

パワフルなテーマのストーリーを、完全な形で思いつく場合もあるでしょう。たとえば、嘘をつくことがなぜよくないかについて、全体にわたって描くというように。ところが、「真実」に情熱を感じて書き始めたのはいいけれど、「嘘」を擁護する側について考え始めると、胃がムカムカするかもしれません。シナリオ講師ロバート・マッキーは『ストーリー』にこう書いています。

ストーリーが展開するにつれて、対立する意見、ときには不快な意見も進んで受け入れなくてはならない。すぐれた脚本家は柔軟な心を持ち、異なる視点から物事を見ることができる。プラスの面、マイナスの面、そしてさまざまな矛盾をすべて理解し、それらの意見にひそむ真実を誠実に力強く探し求める。こうしてすべてを知ることによって、独創性と想像力と洞察力がさらに増していく。（前掲、一五〇頁）

書くことが怖くなければ、あなたのストーリーの可能性はまだ開花していません。これは、まさにテーマについて言えることです。自己満足から脱却しましょう。「真実」の闇の側面が見たくないなら、その「真実」への信念は、まだ甘いのではないでしょうか。

激しく異論を唱える、毒舌な読者のことも想像してみましょう。そうした厳しい反論は全部、ストーリーに登場する「悪い」キャラクターだけでなく、主人公からも出尽くしているべきです。主人公をテーマの闇の面に連れて行き、一緒になってしっかりと目を見開いて下さい。手加減せず、正直に。闇に下りればあなたもキャラクターも、そして読者も、ただのエンターテインメントを超えたものを手にするでしょう。そこで得た強烈な学びは一生の宝になるはずです。

第6章
サブテキストを深める

「散文において、書き手が内容をよく知っているならば、
自分が知ることを省いてよい。
真実を書く限り、省いた部分も鮮烈に
読者は感じ取るだろう。
氷山の動きが荘厳なのは
その八分の一だけを水面上に表しているからだ」
——アーネスト・ヘミングウェイ

あえて書かないでおくことが、読み手の心に何よりも強く迫る時があります。

一方、書き手が感じるスリルと高揚感はと言えば、物語の世界の「すべてを知る」力を得ること。実生活では人の心を読むのに苦労しても、創作ではそのようなことはありません。キャラクターが時折おかしな反応をしても、書き手はその理由を知っています。キャラクターたちの過去も未来もお見通し。彼らの思考や行動に困惑することはありません。何もかも知っているのです。

では、知っていることを全部書くべきでしょうか？

もちろん、読者が知りたがらないことまで書くのは禁物です（悪者は巻き爪だとか、主人公の親友がフォルクスワーゲンのビートルを買った経緯まで書けば、脱線もいいところです）。ディテールを省くことが、シーンを磨いて意味を重ね、リアリティを生み出す秘訣です。

アーネスト・ヘミングウェイは「氷山理論」の達人でした。サブテキストについて独自の技巧を使い、しばしば語りから多くを取り払って必要最小限を残し、キャラクターの行動とセリフで事実を読み取らせます。淡々とした文体が読者の好みかどうかは別として、彼の作品は緊迫感とリアリティを感じさせます。

「サブテキスト」と「抑えた表現」には共通点があります。両者は持ちつ持たれつの関係です。あなたがシーンを抑えた表現で書こうとしている時は、サブテキストを活かした複雑な表現をしようとしている時です。サブテキストを豊かにしたい時は、抑えた表現がメインの道具になります。

私はファンタジー小説『Dreamlander（未）』の執筆で、他のどの作品よりもサブテキストに苦労しました。主観キャラクターの一人は、作者である私を含め、誰にも心を明かさないことが最初からわかっていました。この女性キャラクターは内向的で、自分自身に対しても感情や不安を隠し、最小限のことしか話しません。書き手から見ても、彼女は非協力的でした。他のキャラクターたちの主観で描くシーンは割と楽に書けるのですが、この女性が話すくだりになると私の手は止まり、ただパソコンの画面を眺めるだけで何時間も過ぎました。

彼女は私にも、他のキャラクターたちにも話したがらず、わずかな言葉を口にする時でさえ、曖昧な言い方しかしませんでした。しかも、本音と違うことばかり。漠然とした話題を遠回しになぞるだけです。彼女は詳しいことをオープンに語るのを拒否していました。

苦労して書き進めるうちに、私はあることに気づきました。彼女が言わないでいることが、シーンの焦点になる時があるのです。彼女の恐れや怒りを想像しているうちに、他のキャラクターたちのパターンも見えてきて、驚きました。それまで私が実際には気づきも理解もできていなかった、水面下にある人間性が見え始めたのです。

彼女のシーンはサブテキストによる表現が必要でした。彼女に対して私ができたのは、抑えた表現を層のように重ねることでした（セリフとアクションの描写によって）。ただ単純に書くのではなく、もっと工夫をして、彼女の態度や考えを緻密に描かざるを得ませんでした。

初稿を中盤まで書いたところで、ようやく彼女というキャラクターがわかってきました。そして、サブテキストについて多くを教えられました。当初、私はヘミングウェイの言う氷山の八分の一が描けているつもりでしたが、氷山はもっと大きく、本当に描かなくてはいけないところはもっと深くにあったのです。そこに潜り、氷山の隠れた部分を活かす技巧を見つけることができました。

サブテキストの謎を解く五つのステップ

サブテキストが魔法のように思えるのは、説明なく実行されるからです。テーマと同じく、サブテキストも目に見えません。言葉の下の、仄暗い領域に存在します。黒いフードを目深に被った何者かみたいに、物語の陰に潜んでいます。オペラ座の怪人のように舞台裏で機械に油を差している、ミステリアスな技師さながらです。

「サブテキスト」と考えるだけで、私は嬉しくてゾクゾクします。好きなストーリーはみなサブテキストに長けたものです。実際の文章よりも、はるかに多くを感じさせます。不思議な世界にいざない、キャラクターやシチュエーションについて問いかけ、空白を埋め、結論を出し、豊かな体験をさせてくれるストーリーが好きなのです。

優れたサブテキストはテーマを教えずに、私たちに見つめさせ、何かを学び取らせます。すべてを説明しなくても、物語やキャラクターのことは伝わる——そんなふうに、書き手が読者を信頼していることの証です。

1. サブテキストは二つの定点の間に生まれる

「書かれていないこと」がサブテキストだと思うと、わかりづらいでしょう。書かないで、いったいどう表現するのでしょうか？　答えは簡単です。文脈をきちんと作れば表れます。

サブテキストは「背後の影」のようなものだと思って下さい。何かに光が当たっているから、その影ができるのです。書かれていない面白さが滲み出る時は、必ず「書かれていること」がその面白さを生んでいます。

ですから、まず、人物やプロット、物語の世界などをはっきり書くことから始めて下さい。読者に知らせておくべきことを書いておきます（そうしなければ、ストーリーが成り立ちません）。ただし、行間にあるものについては説明しないこと。

出発点と着地点を示しておけば、書き手が作ろうとしている形がわかります。それらの二点の間にあるものを、あえて説明しないでおくのです。そこにあるはずのものは、読者が自分で見つけてくれるでしょう。

▼例

ビデオゲームを映画化したマイク・ニューウェル監督『プリンス・オブ・ペルシャ／時間の砂』（二〇一〇年）はシンプルな冒険ストーリーだが、まさに「時間」が経てばまた観たくなる楽しさがある。それは、キャラクターのサブテキストが豊かであるため。

孤児のダスタンは路上生活をしているところを拾われ、王の子として育てられる。これが定点一。物語は一転、成人したダスタンに。血がつながっていない兄たちとの関係はどこかギクシャクしている。これが定点二。

二つの定点の間に起きるものは？　兄弟間の感情や、その理由は明らかにされないが、文脈にはっきりと定点が置かれているため、観客は詳しい説明がなくても想像ができる。

2. サブテキストを水面下に、はっきりと存在させる

「書かれていないこと」とは何もない、空白のことと思ってしまうかもしれません。

でも、それはまったくの間違いです。サブテキストは非常に明確で、とてもリアルなものです。ヘミングウェイのように「氷山の八分の七は水面下にある」と考えるなら、見えない部分が確かにあるとわかります。氷山全体が重要であれば、書き手の意図にもそれが表れ、書かれている言葉にも反映されるでしょう。そうでなければ、ぽっかりとした空白が生まれてしまいます。ストーリーの真実味は

揺らいで疎かになり、書き手が深い理解をしないで書いているのが露わになってしまうのです。サブテキストは、わざわざ書くものではありませんから、書き手はつい目をそらし、何も考えなくなってしまいがちです。

はっきりと言葉で伝えないでおく内容も、書き手は自分でよく理解しておかねばなりません。氷山をうまく動かしていくためには、水面下の部分に当たるサブテキストもきちんと意識すべきです。

物語のサブテキストは慎重に作って下さい。キャラクターのバックストーリーや動機、目的を知り尽くし、彼らが住む世界のこともしっかりと把握しておきましょう。

▼例

ギレルモ・デル・トロ監督の『パシフィック・リム』（二〇一三年）の魅力は豊かなサブテキストに負うところが大きい。この映画も『プリンス・オブ・ペルシャ』のようにシンプルなアクションものだが、作り手が物語の世界観を隅々まで把握しているところは見事。

舞台となる世界は怪獣の脅威によって滅亡の危機に瀕している。リアルで濃密な描写がなされているが、すべてが明かされているわけではない（プロットにとって重要ではない）。だが、要点（闇市場、軍が用いる技術、熱狂的な支持の背景にある価値観、「命の壁」など）が文脈の中で示されており、語られないサブテキストが豊富にあることがわかる。

観客の想像が追いつかなくても、大きな世界観は感じ取れる。物語のスケールやリアリティ、意味をつかむことができる。

3. サブテキストは水面下に留めておく

文章を書いて文脈を作り、その水面下にサブテキストを作ったら、それぞれをそこに留めておきましょう。

これは意外と難しいことです。趣向をこらして作ったバックストーリーや世界観について、書きたくなる気持ちは山々だからです。お気に入りのディテールを全部、読者に伝えたい気持ちに駆られるかもしれません。

また、読者にサブテキストが伝わったかも確かめたくなるものです。私はせっかくサブテキストを活かしたシーンを書いたのに、つい説明を書き足してしまうことがたまにあります。読者がわかってくれていることを確認したいか、そうでなければ、自分が書いたものに興奮して「ほら、見て！　すごいでしょう?」と言いたい気持ちの表れです。

もちろん、後で読み返した時に、「どうしてこんなことまで書いたんだろう」と、慌ててその部分を削除します。サブテキストを信じるべきです。水中にあるものを引っぱり上げて、文脈に入れてしまっては元も子もありません。

ただし、ストーリーにとって重要な事柄は例外です。ある種の事柄（バックストーリーの秘密や敵対者についての手がかりなど）は、プロットが重要な局面に来るまで水面下に隠しておくことが多いでしょう。

説明したい気持ちを抑えるだけでいいのです。読者にわからせようとして、物事をその通りに説明するのを避ける習慣をつけて下さい。

特に、セリフを書く場合がそうです。思いをストレートに口にする時もあるでしょうが、遠回しの表現や間接的な伝え方、暗喩としての表現ができるかどうか、常に考えましょう。キャラクターが思っていることをそのまま言葉にしている時は、読者に情報を伝えようとし過ぎているのかもしれません。水面下に潜ませておく方がパワフルかどうかを考えてみて下さい（セリフのサブテキストについては、後で詳しく説明します）。

▼例

映画「ボーン」シリーズのジェイソン・ボーンは、けっしてあからさまな表現をしないところがよい。彼の存在そのものがサブテキストに包まれているかのよう。記憶喪失であるため、シリーズの大部分では自分でも自分のことがわかっていない。彼の性格と過去に定点が見出せる。だが、彼が寡黙なために私たちは真の動機と感情を推し量るしかなく、そして、その余地も与えられている。

カウンセラーに本音を語り、何もかもを説明すればサブテキストは丸見え。キャラクターの深みや複雑さは消し飛んでしまう。抑制の効いたストーリー運びが知的興奮と感情的な満足を与えてくれる。

4. サブテキストは食い違いによって作られる

サブテキストが最も巧みに、面白く表れるのは、いっけん食い違いのように思えるものがある時です。文脈の定点同士がストレートに結びつかないと感じると、読者は即座に好奇心を抱きます。二つの定点の間に謎解きが仕組まれているように感じるのです。キャラクターや世界の動きにあなた自身が好奇心をそそられる時は、よいサブテキストが見つかるかもしれません。

ただし、はっきりとした問いからサブテキストは生まれませんので、注意して下さい。ストーリーの中で明確な疑問を示せば、読者は明確な答えを求めます。何かを明らかにすれば、もはや、それはサブテキストではなくなります。二つの定点が生むものは、暗黙の問いのままでなくてはなりません。キャラクターやシチュエーションが表面的に見せているものは、どこか本当のこととは違うのではないかとかすかに思う時、サブテキストが生まれます。

私のウェブサイト「Helping Writers Become Authors」の読者ジョー・ロングは次のようなメールをくれました。

内面と、外面の態度や動きにはっきりとした食い違いを持たせられる時は、必ずそうしたいです。それがサブテキストの心髄ですね。

それはキャラクターアークの心髄とも言えます。サブテキストをよく考えて、賢く使えば、キャラクターの旅路がパワフルに表現できるからです。

キャラクターやシチュエーションを、包み隠さず書き表すのを避けましょう。水面下で起きていることを知る書き手にとっては難しいかもしれません。でも、「早く読者に全部を伝えよう」と思う気持ちは抑えること。真実はストーリー全体を通して、徐々に見つけてもらえばよいのです。

ストーリーの中で人物像を明らかにしていく時には、特にそのことを心がけて下さい。キャラクターが根っからの善人であっても、それをすぐに読者にわからせる必要はありません。何か別の側面も描きましょう。表に見せる態度を少しずらして描き、行動からうかがえるサブテキストを通して本質を伝えてみて下さい。

▼例

海外ドラマ『スーパーナチュラル』の主人公兄弟の一人、ディーン・ウィンチェスターが記憶に残るのは、ずっと深い葛藤に苦悩しており――その葛藤の大部分が（少なくとも最初の二、三シーズンは）サブテキストに留められているから。視聴者は彼の二面性を目の当たりにする。見かけはちゃらんぽらんな酒飲みで女たらしだが、他者への思いやりは深く、時折、身を投げうつような献身ぶりを示して驚かせる。

こうした食い違いは疑問を生む。なぜ、このキャラクターはこうなのか？　どんな心の葛藤が矛盾を引き起こしているのか？　そして、どちらが本当の性質なのか？

5. サブテキストは沈黙の中に存在する

これまで、映画とテレビドラマを例に挙げてきました。なぜなら、映像作品は気持ちを外に表して「見せる」表現が豊かだからです。文章で表現するフィクション小説に比べると、サブテキストがはるかに多く活かされています。

ここに挙げた原則はみなフィクション小説にも当てはまりますが、映画やドラマの脚本よりも、さらに多くを文章で表現する必要があります。映画では無言で伝えられることが、小説では文章で説明されない限り、混乱を招くことがあるからです。

しかしながら、サブテキストが存在しているように感じさせる、単純な裏技があります。それは、キャラクターに沈黙させることです。読者に対して説明したい気持ちをぐっと抑えて、キャラクターたちにすべてをしゃべらせないようにして下さい。

映画のセリフはサブテキストがふんだんに盛り込まれています（観客はキャラクターの思考がまったくわかりません）。書籍でそのような書き方がしたければ（少なくとも、主観キャラクターの思考は文字で表せます）、キャラクター同士の対話に沈黙を挟むと、映画とほぼ同じ複雑さや深みが出せます。

キャラクター同士の会話では、考えていることをそのまま言わせないこと。思っている通りの言葉をしゃべっている箇所があれば、冷静に見直しましょう。その発言の中には、プロットの進展か、出来事を読者に伝えるための、重要な情報があるでしょうか？

重要な情報がなければ、その発言を消しましょう。

重要な情報がある場合は、再度、検討し直して下さい。その情報を提示しながら、表に出ていたもののいくらかを水面下に隠すような表現に変えられるでしょうか？

▼例

キャラクターが自分の思いを口に出さない場面の優れた例を二つ挙げる。

一つめは、ナチス統治下のドイツを描いた、マークース・ズーサック作のヤングアダルト小説『本泥棒』。主人公リーゼルは、会えなくなってしまった親友ルディに言いたかったことを、頭の中ではっきりと反芻し、読者は彼女の思いを正確に理解する。ただ、リーゼルがそれをルディに伝えられなかったために、サブテキストとして私たちの胸に迫る。

約束どおり、二人はダッハウへ続く道路をずっと歩いていった。そして林の中に立った。光と影が細長い形を作っていた。松ぼっくりがクッキーのように散らばっていた。

ありがとう、ルディ。

いままでのこと全部。あたしを道路から助けてくれて。あたしを止めてくれて……

リーゼルはこういうことを何も言わなかった。（入江真佐子訳、早川書房、六四四頁）

二つめは、ジェフ・ロング作の世紀末スリラー『紀元零年の遺物』からの、シンプルな例。主人公の考古学者ネーサン・リーは、アラスカ沖で遭難。米軍の空母に救助を求めて手を振るが、空母はそのまま通り過ぎる。このシーンの語り手であるミランダは、その事実を知らないが、次に挙げる会話で読者は文脈を理解する。

「娘さんは海軍のパイロットだったのよ。帰還していない艦隊の一隻に乗っていたわ」

「艦隊?」

「噂ぐらいは耳にしているはずよ。世界再建のために、海軍が調査部隊を派遣した話は知っているでしょ。彼らは各国の資源や残存物を見積もりにいったけど、一人も戻ってこなかった。人工衛星のカメラが、あちこちで派遣団の船舶をとらえているわ。空母は大海を漂流しているの、さまよえるオランダ船のようにね」

ネーサン・リーは押し黙った。行方の知れない彼自身の娘のことを思い起こしているのだろう。何かに取り憑かれているようだった。(下巻、山本光伸訳、二見書房、五三頁)

ネーサン・リーは艦隊を「見た」とは言わずに、沈黙する。彼の思考は読者にはっきりとわかる上に、サブテキストで彼の心痛が深く伝わってくる。

キャラクターのサブテキストを深める

キャラクターの創作にとって、サブテキストは欠かせません。つまり、「人間とはサブテキストだ」というわけです。私たちの言葉や声のトーン、表情などは、本当の自分のほんのわずかを表しているに過ぎません。表に出るものよりも、はるかに多くを内に抱えています。実は謙遜していたり、傲慢な気持ちを隠していたり、人に言えない欲望や動機があったりするものです。内面にはひどく分裂した考えや偽善、矛盾が満ちています。しかも、それを自覚していない時がよくあります。

キャラクターのサブテキストを扱う時のヒントを四つ、ご紹介します。

1. 主観キャラクターを少数に限定する

キャラクターの心の声を書きたい時に、そのキャラクターがシーンの語り手であると、内面のサブテキストを生み出すのは非常に難しくなります。それは、よいことでもあるでしょう（キャラクターの主観を深く描くのが好まれる理由も、ここにあります）。主観キャラクターを少数に限定すれば、それ以外のキャラクターの描写でサブテキストを生む機会が増えます。逆に、そのキャラクターの頭の中に一度でも入ってしまうと謎は薄れ、サブテキストも消えてしまいます。

2. 主観キャラクターの洞察を制限する

語り手を一人に絞ったとしても、そのキャラクターに何もかも洞察させてしまったり、多くの情報を簡単に与えてしまったりすれば、サブテキストを匂わせるチャンスが台無しになります。語り手自身の解釈を書かずに、他のキャラクターたちの態度や行動を描いて読者に解釈させましょう。解釈の余地のない語りが読者に喜ばれることは、ほぼありません。リアリティの感じられる記述をすれば、語り手にも他のキャラクターにも深いサブテキストを与えつつ、情報を提示できるでしょう。また、プロットが迎える新しい展開を際立たせることができます。

3. キャラクターに多面性を与える

キャラクターのサブテキストの第一のルールは「サブテキストとして存在すべき」ということです。何も存在していないのに、読者に「行間から、すごく多くが伝わってくるんだよね！」と言ってもらうのは不可能です。

サブテキストとは「すでにそこに存在するが、まだ表面化していないもの」だと覚えておいて下さい。つまり、「今後、いろいろな面が明らかになっていくキャラクター」を作ればいいのです。

そのためには、まず、複雑で面白いバックストーリーを設定すること。次に、そのキャラクターを二面性がありそうに見せること。たとえば、最初に攻撃的な第一印象を与えておいて、少しずつ、隠れていた性質を表に出していく、などです。

4. キャラクターを信頼する

優れたサブテキストを生み出す上で、最も難しいのはキャラクターを信頼することです。しかし、書き手はまず自分を安心させようとして、隠れている事柄を読者にどんどん説明しようとしがちです(例：「ところで、念のために言っておく。この男はガサツなために誤解されているが、実はいいやつなのだ」)。

この罠にかからないようにして下さい。キャラクターが自分で自分のことを語る時も、誰かに語らせる時も、そのキャラクターの態度や行動を説明したくなったら要注意です。具体的で鮮やかな選択肢や行動を描いて表現しましょう。「口で説明するより、やって見せる」ということです。

不安になったら原稿を見直して、説明になっている箇所をすべて消してみて下さい。それでもまだ、ストーリーは成り立つでしょうか？　もし成り立たないなら、はっきりと書くべき事柄を書き足しましょう。案外、説明が必要ないことに気づいて驚くのではないでしょうか。説明を減らすことによって、キャラクターのサブテキストがいかに豊かになるかもわかるでしょう。

セリフのサブテキストを深める

よいセリフの条件は、次の五つです。

1. プロットを進展させる。
2. キャラクターに合っている。
3. リアリティが感じられる。
4. 楽しめる。
5. サブテキストを与える。

この五つはセリフの書き方の習熟度も表しています。書き手が新人の頃は、セリフでもストーリーが語れているかを気にかけます。これはセリフ術の白帯レベルです。そこから次々と、他のスキルを習得し、最後に黒帯への昇段試験を迎えます。それが、サブテキストのあるセリフの書き方です。

それは書き手にとって、秘密の通過儀礼のようなものでしょう。表現の繊細さやアイロニー（皮肉）

からテーマの描き方に至るまで、ストーリーテリングのすべてにおいて、まったく新しい可能性の扉を開きます。また、他の四つのスキルにも、さらに磨きがかかります。

では、マーベル・コミック原作の『キャプテン・アメリカ／ザ・ファースト・アベンジャー』を例に、セリフの意味を深める四つのルールをご紹介しましょう（この映画のストーリー構成はいまひとつですが、優れたセリフが作品に貢献しています）。

ルール1　セリフで本心を言わせない

セリフを書く時、最初にしてしまいがちなのは、キャラクターの思いをそのまま文字にすることです。「お前には腹が立つよ！」とか「大好きだ！」とか、「僕にはこういう背景があるから、こんなに惨めでめちゃくちゃなんだ。くそっ！」などです（冗談ではなく、実際に、よくある例です）。

原稿の中の会話文をすべて読み返し、まず、要点を把握しましょう。キャラクターが言いたいことを一点に絞り、それを、そのまま言葉で表している箇所に線を引きます。次に、その言葉を使わずに、同じ内容を伝える方法を考えて下さい――遠回しに伝えるか、あえて正反対のことを言うか、ボディランゲージや地の文で示唆するか、などです。

▼例

『キャプテン・アメリカ／ザ・ファースト・アベンジャー』の後半にあるシーンで、上官のペギー・カーターが赤いドレス姿で酒場に現れる。兵士たちが見とれる中、彼女は主人公スティーブ・ロジャースと、救出されたばかりの親友バッキーに歩み寄る。バッキーは即座に彼女を誘うが、スティーブは無言。ペギーとバッキーの会話のやりとりは、本当はペギーとスティーブが互いに言いたいこと。「戦争が終わったら付き合おう」といったストレートなセリフは出さず、沈黙で見事に表現している。

ペギー　「精鋭部隊は準備万端ね」［スティーブに向けて］
バッキー　「音楽は嫌い？」
ペギー　「好きよ。踊りたいけど待ってるの」
バッキー　「何を待っているんです？」
ペギー　「本当のパートナー」［去る］
バッキー　「俺は無視か。立場逆転だな。大ショックだ」［スティーブに向けて］

ルール2　セリフを一巡させて元に戻す

同じセリフを二度使うテクニックです。一度目は、言葉通りの意味にします。そして、二度目では、新たに象徴的な意味合いを持たせます。このテクニックを重要な分岐点で活用すれば、ストーリー全体を通してテーマを貫通させることができるでしょう。

序盤で出てくるセリフを別のシチュエーションで再び出し、サブテキストを倍増できるか考えてみて下さい。

▼例

『キャプテン・アメリカ／ザ・ファースト・アベンジャー』はこのテクニックを数回使用。特に、先の例で挙げた「本当のパートナー」というペギーのセリフは、序盤でスティーブが自分の恋愛観について言った言葉と同じ。出会いの時から彼女がスティーブに惹かれていたことが、サブテキストとして伝わる。

他にも、スティーブがボコボコに殴られた時などに言う「一日じゅうやったって平気さ」や、真面目な顔で「これはテストですか？」と尋ねる定番のようなセリフもある。

ルール3　読者や観客を驚かせる

サブテキスト（と、ユーモア）は予測とのギャップから生まれます。キャラクターが読者にとって予想外の反応をすれば面白く、また、はっとさせられます。

キャラクターがストレートな質問をし、相手のキャラクターがストレートに答えている箇所を探しましょう。答え方を少し変えるとどうなるでしょうか？　たとえば、誤解をする（故意に、あるいは純粋に）。または、皮肉や逆説を使った答え方をさせる。嘘をつく。あるいは、答えたくないから完全にはぐらかす。普通に答えるよりも、キャラクターのことが豊かに伝わり、面白いセリフになるかもしれません。

▼例

スティーブは真面目で率直なキャラクターであるため、このテクニックはあまり使われていない。だが、ハワード・スタークがペギーに「フォンデュでもどう？」と誘ったのを彼が誤解するのは面白さを生むだけでなく、ヤキモチを焼く心理表現としても機能している（「あなたも彼と……するんでしょう？フォンデュってやつを」）。後のシーンでも再び言及され、スティーブとペギーの関係を暗に示している。

ドイツ語訛りのアースキン博士がスティーブに「出身は？」と訊かれ、さらりと「クイーンズ。七三番通りとユートピア・パークウェイの角だ」と答えるところもユーモアがある。

ルール4　抑えた表現と皮肉を使う

セリフで特定のことをはっきりと言わせたい時でも、抑えた言い回しや皮肉を使えば直接的な表現にならずに済みます。読者や観客はセリフの意味を正確に理解できるだけでなく、繊細な表現に満足感を高めるでしょう。

原稿を読み返し、キャラクターが事実をそのまま話している箇所がないか、探してみましょう（「俺は世界チャンピオンに三度輝いた」「彼女に捨てられたんだ」「このレストランは最高よ」など）。それを、抑えた表現か皮肉が効いた言い回しに変えてみて下さい。

▼例

スティーブの初の大きな（無許可の）ミッションは、ヒドラの基地に囚われている連合軍兵士たちの救出。彼の突飛な衣装や脱出方法に対して、兵士の一人が「正気か？　実際にやったことがあるんだろうな？」と尋ねる。それに対して、戦闘体験のないスティーブは「ああ」とうそぶくこともできるし、スーパー兵士として舞台で「猿のように踊っていただけ」と正直に言うこともできる。だが、彼はそれを、まったく異なる意味合いで表現する。さらりと「ああ。アドルフ・ヒトラーを倒したよ。二百回以上ね」。実戦の経験がないとは言わずに、舞台で体験したことを巧妙にすり替えて答える。たった一行のセリフに四つの層が重なっている。

言葉で伝え切れないほど強い感情もあります。沈黙が、より多くを語る時も。沈黙（または、実際の言葉よりも、はるかに多くを伝える平凡なセリフ）が素晴らしい表現になる時は、びっくりするほど多いです。

では、どんな時にキャラクターを沈黙させるとよいのでしょうか?

強い感情が表れている時

「大嫌い」と口で言うよりも、冷たい視線を投げかける方が強い感情を伝えます。

行動の方がパワフルに、または簡潔に感情を伝える時

怒った妻が夫にサラダボウルの中身を浴びせたり、相手をする暇がないふりをしてレタスを刻み続けたりする時など、ボディランゲージに勝る言葉はありません。

セリフで重要なことを付け加えられていない時

検討している特定の会話によってプロットが進展するのでないなら、その会話を削除しましょう。ただし、それが状況を推し量らせる場合(例:キャラクターたちが深く話し合うことを恐れている)、セリフの「無意味さ」が沈黙に似た効果を生みます。

情報を出し過ぎるとサスペンスが失われそうな時

キャラクターが知っていることを何もかも話しているようなら、口をふさいだ方がいいでしょう。何かを内に秘めているキャラクターは面白いものです。でも、何か秘密がありそうだということだけは、きちんと読者に示しておきましょう。答えをはぐらかしたり、話題を変えたりするキャラクターは、言わないでいることの価値を高めます。

何も言わせないことが、キャラクターにとって最善な時

もともと無口である設定のキャラクターもいるでしょう。寡黙なタイプは書くのが難しい時もありますが、その寡黙さゆえに、一言ひとことが重要になります。

サブテキストの沈黙を恐れることはありません。それをうまく利用して（経験豊富なインタビュアーも、そうします）キャラクターも読者も耳をそばだてるように仕向けて下さい。

第7章

シンボリズムで意味を表現する

「シンボリズムは装飾し、豊かにするためにある。奥深い雰囲気に見せかけるためのものではない」

——スティーヴン・キング

物語のメインテーマはモラルをめぐる「嘘」と「真実」の対立で表現されます。それ以外にも、テーマがもたらすものはたくさんあります。たとえば、メインのテーマを「慈悲対正義」として、愛や自立、変化といった、少し異質なものに触れることもできるでしょう。

それは素晴らしいことです。面白いテーマが派生的に生まれる分だけ、ストーリーは豊かになります。その一方で、焦点がばらばらに散ってしまう危険性も高くなります。散漫にならずに、バラエティに富むテーマを深く描くには、どうすればいいのでしょうか?

その答えは、テーマ同士の関連性を確認しながら選ぶこと。青春ドラマの物語なら、恋愛や自立、変化などがつきものですが、プロットをしっかりと作れば、それらをすべて描けるでしょう。なぜなら、どれもキャラクターアークの進展に合わせて出てくるであろう問題だからです。

まず、小さなテーマの候補をすべて眺めて、メインテーマとのつながりを確認しましょう。外れたものがなければ、小テーマ群の結束をさらに強くする手法を使います。その手法とはシンボリズム。つまり、象徴的な表現です。

メインテーマとその周辺の小さなテーマ群が決まったら、それらのすべてを表すような、象徴的なものを探します。メインのプロットを見て下さい。外に表れているもので、キャラクターアークに勢いを与えているものは何でしょうか？　そして、それはテーマをどのように反映しているでしょうか？　たとえば、プロットの中でキャラクターが本を書いているとか、ダンス教室に通っているとか、革命を起こすために活動しているといった行動が描かれているでしょう。何でもかまいません。それを、キャラクターの成長に関するさまざまなテーマを表すものとして、二重か三重、あるいは四重に意味づけするのです。

シンボリズムは理解しづらいものでもあります。そもそも、シンボルとしてふさわしいものを、どうやって思いつけばいいのでしょうか？　何をシンボルとして表現すべきでしょうか？　そして、象徴的な表現らしく、適度にぼかしておくために、注意すべきことは何でしょうか？　シンボリズムはテーマを深める機会を豊かに与えてくれます。読者の理性を超えたところで、感情と潜在意識に訴えることができるのです。それは、かなり効果的な表現だと言えるでしょう。

シャーロット・ブロンテの古典的名作『ジェーン・エア』にはシンボリズムが豊富に見られます。この小説には、次の五つのテクニックが使われています。

シンボリズムのタイプ1　小さなディテール

シンボリズムは、ほんの小さなディテールにも加えることができます。キャラクターの衣服の色や観ている映画、部屋に飾っている絵画などでも象徴的な表現が可能です。『ジェーン・エア』の第一章で孤児ジェーンが読む本は、イギリスの木版画家トマス・ビュイックの『A History of British Birds（未）』。この本に描かれる荒涼としたイギリスの風景はジェーンの世界とは無関係なようでいて、もちろん、意味が込められています。彼女は幸せなラブストーリーの本を読んでいてもよかったはずですが、作者は過酷で寂しげな風景をジェーンと重ね、冷酷なおばさんとの暮らしを象徴的に伝えています。

シンボリズムのタイプ2　モチーフ

デザインのために繰り返し用いる意匠を「モチーフ」と呼びます。ストーリー創作でも、何かを物語全体にわたって繰り返し登場させて、効果を出すことができます。象徴的なものを網のように張りめぐらせて、読者の潜在意識にさりげなく刷り込めるのです。

『ジェーン・エア』には「孤児であること」が繰り返し書かれています。特に、愛されない孤児として育った主人公ジェーンをめぐる描写です。愛とはどのようなもので、人々はどうやって愛を勝ち得るかが物語の軸に置かれています。作者ブロンテは、このモチーフを何度も使っています。

▼例

物語の序盤では、使用人が孤児の少女の歌を歌っている。
家庭教師として雇われたジェーンが世話をする少女アデルは孤児。
後にジェーンはリヴァーズ家の人々と出会うが、彼らもまた親を亡くして孤児となる。

これらのモチーフがジェーンの境遇と直接的に比較されることはありません。ストーリーの中で自然に登場させ、全体的な効果を上げています。

シンボリズムのタイプ3　暗喩（メタファー）

モチーフは暗喩として表現することもできます。特に文学では、テーマの要素を視覚的な暗喩で巧みに表現している例もあります。たとえば、火に関する描写で怒りっぽいキャラクターを暗に示したり、流れる水で浄化を、また、病気で罪悪や腐敗を暗喩として表現できます。

『ジェーン・エア』では拘束と自由の象徴として、主に鳥が使われています。基本的なテーマに合わせて、ブロンテはそれぞれのキャラクターや舞台設定を鳥にたとえて表しているのです。ジェーンはスズメのように身近で小さな鳥。彼女が愛する、悩みを抱えたロチェスター卿は猛禽類として表現されています。また、彼にとっては監獄のような屋敷であり、ジェーンにとっては聖域であるソーンフィールド邸は、随所で鳥かごにたとえられています。

ストーリーを書いている時に、パワフルな暗喩の言葉が自然に出てくることもよくあります。あなたの文章の中に何度も表れているモチーフがないか、推敲しながら探してみて下さい。それを、テーマの表現のために、もっと活用できるでしょうか？　一つのモチーフにも、いろいろな側面があります。さまざまなキャラクターたちの表現に使えるかどうかも考えてみて下さい。

シンボリズムのタイプ4　普遍的なシンボル

社会の精神に深く刻まれているシンボルもあります。それらはすでに、読者の潜在意識にも浸透していますから、パワフルです（欠点があるとすれば、イメージが浸透し過ぎてありきたりになる場合もあることです）。

『ジェーン・エア』では天候がうまく使われています。敗北の場面では雷雨を描き、勝利を目前にする瞬間とのコントラストをつけています。ロチェスター卿のプロポーズをジェーンが承諾する時に、庭の木に雷が落ちるのも偶然ではありません。落雷はショッキングな事実が発覚する前触れでもあり、その後、二人の愛は引き裂かれます。

シンボリズムのタイプ5　隠れたシンボル

深く隠れているために読者がまったく気づかないシンボルもあります。もちろん、価値としては、他のタイプより著しく低いです。

たとえば、ロチェスター卿が飼っている馬の名前はマスルール。この意味に気づく読者はほとんどいないでしょう。実は、『アラビアン・ナイト』に登場する処刑人の名と同じなのです。

なぜ、馬にその名前を付けたのでしょうか？　ブラッキーやビューティーといった名前であれば、最初に挙げたタイプ1の凡庸な例になるかもしれません。ですが、「マスルール」という名はすぐさま、小説全体のダークで謎めいたトーンを感じさせます。また、出典に気づいた読者にとっては、不吉なシンボルとして心に強く刻まれます。

シンボリズムは繊細なダンスに似ています。巧みに振り付けができたなら、あなたの作品の評価が三つ星から五つ星へと上昇するのも夢ではありません。

第8章 物語に最適のテーマを設定する

「天才たちを突き動かすのは
新しいアイデアではない。
すでに語られたがまだ語り尽くされていないアイデアに対する
強いこだわりが作品を生む」

——ウジェーヌ・ドラクロワ

物語の核となるテーマが決まったら、ゆっくりと振り返り、それが本当に最善の選択かどうかを考えましょう。プロットとキャラクターアークの微調整によって、さらにインパクトが強いテーマにできるでしょうか？

テーマを簡潔にまとめ、再確認してみてもよいでしょう。それは「正義か慈悲か」といった広い意味での問いですか？　それとも、もう少しはっきりとした、「愛されないまま死ぬよりも、貧者として死ぬ方がまし」（『クリスマス・キャロル』）のようなものでしょうか？

テーマを短く凝縮すれば、独自性やリスクの自己評価がしやすくなります。そのテーマは、ぱっと目に飛び込んできますか？　それとも、少し考えないと理解が難しいでしょうか？　そして、そのテーマはプロットとキャラクターアークを調和させますか？

最善のテーマは普遍的であり、かつ、ユニークです。でも、実際のところ、それはどのようなものでしょう？　新鮮でありながら万人の共感を得るテーマなど、考えつけるものでしょうか？

私たちは愛の大切さを描くラブストーリーも、勧善懲悪のヒーローアクションも、すでに山ほど知っています。普遍的なテーマについては「この世に新しいものなどない」と言わねばなりません。

では、ユニークなテーマについて語りましょう。そう、今すぐに。

ひと息ついて、今からテーマの案を考えてみましょう。完全にオリジナルなものを思いつくのに、どれぐらいの時間がかかるでしょうか。私も一緒に、やってみます。

……

私はまったく思いつきませんでした。あなたはどうでしたか?

ユニークかもしれないな、と思える案はいくつか思い浮かびました。でも、どのアイデアも、いやに単純で、普遍的なものが根底にありそうです。愛、正義、慈悲、苦悩、啓発、死、希望、絶望、偽り、真実、恐怖、勇気。なんと、これらはみんな、すでに紀元前七〇〇年にギリシャで語られています。これではお手上げもいいところ。独創性のあるテーマなんて、残っていないのです!

ありがたいことに、ここで「ユニーク」と「普遍性」とのバランスが活きてきます。

まず、人生そのものが普遍的です。そこから逃げることはできません。人生の物語は誰もが分かち合えるものであり、人類が持つ深い共通体験から生まれます。物語の構成とキャラクターアークは万人が等しく体験するものに根差しています。そうした基本的なものがうまくいくのは、人々の共感を得るからです。それをあまりに激しく変形させると読者は描かれているものを認識できなくなり、感情移入もできず、投げ出してしまいます。

人類に共通の元型、アーキタイプは、構成とキャラクターアークよりも深い領域にあります。生と死、親と子、喜びと苦しみ、慈悲と無慈悲、希望と絶望——他にも幾多にありますが、どれも人生の基本的な前提です。これらをまったく使わずに独創的なストーリーを書くのは不可能なだけでなく、無意味とさえ言えるでしょう。

ストーリーは共通性によって受け手の心に響きます。読者や観客として、私たちは自分と似たものをキャラクターに求め、また、キャラクターを通して作者にもそれを求めます。私たちが深いところで求めているのは独創的なものではなく、実は、慣れ親しんだものなのです。

ですから、テーマが古びることはありません。愛がすべてに勝ったり、善が悪より強かったりする話を聞けば、飽きずに高揚感を感じるでしょう。

でも、同じテーマを同じ手法で、同じストーリーとして語られるとうんざりします。普遍的なテーマやプロット、キャラクターが使い古されるというよりは、むしろ、それらの組み合わせ方にリスクがあるのです。

独自性のあるテーマの書き方

ユニークなテーマと使い古されたテーマの違いは、それ自体の独自性よりも、その表現の仕方にあります。わざわざ斬新なものをひねり出す必要はありません。ただ、それが何であれ、あなた自身にとって革新的で、正直で、個人的なものであるべきです。善が悪に勝つ話なら、私は「またか」と思って本を閉じるでしょう。でも、その話を、まるであなたの人生がかかっているかのように正直に語るなら、私はあなたのことをずっと覚えているでしょう。

テーマのアイデアを情熱的で個性的な核へと磨き上げるために、次の三つのヒントを参考にして下さい。

1. キャラクターにとってのテーマを探す

これまでに見てきたように、テーマは必ずキャラクターと結びつきます。特に、主人公に注目すれば、あなたが書きたいテーマがわかるでしょう。別のテーマを付け足しても、ストーリーの本質はあくまでも、キャラクターの内面の葛藤の中にあります。

後で意外なテーマを思いついて、トッピングのように物語に振りかけることはできません。すでにあるものを出発点にすべきです。主人公を見て下さい。それはどんなキャラクターで、何を求めているでしょうか？　そして、プロットの中で何をしていますか？

では、さらに詳しく見てみましょう。

仮に、あなたが私となって、歴史冒険小説を書いているところだとします。それは『Wayfarer（未）』というタイトルで（実際に書いた小説です）、英国の少年が登場する青春のストーリーでもあります。彼は超能力を得てジョージ王朝時代のロンドンを駆け回り、善意で世界を救おうとすることの意味を探します。

善と悪の戦いがメインですから、少年の成長はただの「おまけ」になるかもしれません。あるいはスパイダーマンのように、少年は超能力に伴う責任を学ぶのかもしれません。こうしたアイデアはみな、すでにストーリーに内在していますが、ユニークなものは何もありません。はっきり言って、個人的なものは何もないのです。

さらに深く掘り下げましょう。このキャラクターが直面する独自性のある部分を見ていきます。

●彼は何を求めているか？
●なぜ、彼はそれを求めるのか？
●どんなことに対して純粋に自分を犠牲にしようと思っているか？
●彼が自分勝手に犠牲にしようと思っているものは何か？
●物語の最後に彼が手に入れるものと、失うものは何か？
●彼はどう変化するか？

答えはすぐに見つからないかもしれません。また、何かを思いついても、ありきたりだと思ったら不採用にしましょう。考えていくうちにキャラクターとプロットのアイデアがテーマに近づき、深みのあるものへと発展します。

2. あなたにとってのテーマを探す

キャラクターはプロットを貫くテーマを表現します。また、彼らはあなたの延長線上にいる存在でもあります。本当にユニークなテーマが見つかるかを真剣に試すなら、まず、あなたが自分自身にいくつかの問いをしてみましょう。

すでに答えが決まっているものは、つまらないテーマです。「愛はすべてに勝つ」と断言するだけでは、もちろん面白くありません。質問の形に直しましょう。「本当に、愛はすべてに勝つか？」というように。

人生について、今、あなたが問いたいことは何ですか？

正直なところ、答えがわからない。そう思える質問は、面白いテーマになり得ます。

今、一番気がかりなことについて、考えてみて下さい。ずっと、なんとなく気になっていることは何ですか？　それは政治や社会についての話題かもしれませんし、それよりも小さな、とても個人的なことかもしれません。あるいは、健康面や仕事面での悩みはあるでしょうか。

あなたが思いつくものの中に、ヒントが必ずあります。それについて正直に書いていくうちに、あなた自身の答えも見えてくるかもしれません。

人生や社会について、いつも疑問に思うことでもいいでしょう。

「ちょっとした」疑問がふと浮かんだら、そこで終わりにせずに、いろいろな方向へと考えを展開してみて下さい。あなたがいつも不思議に感じる大きな疑問は何ですか？

私のストーリーには、繰り返し表れるテーマがいくつかあります。その一つがアイデンティティに関することです。いつも、登場人物たちは自分が何者かを問い、自分の目的を探しています。それを物語の主軸にはしませんが、根底には必ずそれが存在します。私自身がいつも、心のどこかでじっくりと考え続けている多くの問いの中心にあるからです。

あるいは、あなたが「これは世間では評価されていないな」と感じるものでもいいでしょう。

あなたがハッピーエンドの物語でポジティブなアークを描くなら、おそらく、愛や勇気、正義、慈悲、思いやり、献身などの美徳がテーマになっているでしょう。その場合は、「恋愛ものだから愛」「アクションものだから勇気」といった、当たり前のものを選ばないこと。その代わり、あなたにとって大事なもので、世の中で軽んじられているか、フィクション全般で過小評価されているものを選んで下さい。

私はよく、『シビル・ウォー／キャプテン・アメリカ』のセリフを思い出します。

そのセリフが出てくるのは、いらだつトニー・スタークに、キャプテン・アメリカ（スティーブ・ロジャース）が「面倒を起こす気はない」と言う場面です。トニーは「わかってる——君は紳士だからな」と皮肉っぽく言い返します。

この場面を見て、私は自分がキャプテン・アメリカを好きな理由が二つあることに気づきました。

1. 彼には独特の礼儀正しさがある。「礼儀正しい」という特徴は現代のキャラクターにはなかなか見られず、アクションもののヒーローの中では、さらに珍しい。意外なところで、隠れたニッチ（隙間）を埋めている。

2. 自分も似た性格なので共感できる。キャプテン・アメリカの性格を「長所」と受け取っているために、危険な局面でも沈着冷静な姿を見ると嬉しくなる（丁寧に対応するが、相手には付け込まれないところなど）。

あなたが周囲の人々から見習いたいと思う長所を五つ挙げ、自分の中で、それぞれをシミュレーションしてみて下さい。その長所に伴う苦労や、その長所が破綻する時、その長所がもたらす見返りを正直に、テーマとして眺めることができるでしょうか？

あなたが「怖い」と思う価値観や性質は何でしょう？ 美徳があるところには、悪徳もあります。あなたも「ネガティブな変化のアーク」でダークな物語を書いたり、敵対者が失脚する物語を考えたい時があるでしょう。どちらの場合も、あなたが好きな長所の裏の面を考えてみて下さい。あなたの内面には、どんな悪が潜んでいますか？ 殺人やレイプ、児童虐待などは大きな悪です。そこまでいかない小さな悪はどうでしょう？ ちょっとした嘘や配慮に欠ける発言、あるいは仕事のし過ぎも小さな悪かもしれません。

あなたが感情をむき出しにして反応してしまうものも、探して下さい。怖さを身体の奥で感じたら、そのことについて書くべきです。あなたがついムカっとして、同じことを相手にやり返したくなるようなことも同様です。

私たちは戦争から落書きに至るまで、どんな傷害行為も悪いこととして非難します。でも、ただそれが悪いからというだけで、悪と決めつけてストーリーを書かないこと。あなたにとって意味がある悪を選び、その理由を見つけるために書いて頂きたいと思います。

3. よくあるテーマを新鮮な舞台設定に置いてみる

最近読んだ本の中で「新鮮味がないな」と感じたものはありますか？ あるとすれば、その原因は、その本のキャラクターまたはプロット、もしくはテーマに飽きたというよりは、それら三者の組み合わせが新鮮味に欠けていたからではないでしょうか。

どの点を見ても個性的なものばかり、というストーリーはほとんどありません。独創的なストーリーとは、実は、よくある要素を新鮮な目で見て描いているものを指します。

▼例

「スター・ウォーズ」シリーズは新種の西部劇として有名。

『本泥棒』はよくある第二次世界大戦の物語だが、舞台はロンドンやパリでなくナチス政権下のドイツ。意外性のある語り手の視点から子どもの成長を描いている。

『プリンセス・ブライド・ストーリー』（一九八七年）はよくあるおとぎ話を斬新な方法で描いている。

これらの物語のテーマにユニークさはありません。それでも新鮮に感じるのは、意外性のあるメッセージと舞台設定を通してテーマを描いているからです。

普遍的なアーキタイプを表すキャラクターやプロット、テーマが使い古されることはありません。人間が生き、愛し、争い、感嘆し、苦しみ、笑い、そして死がある限り、基本は必ず使えます。でも、もしあなたが、いつも特定のテーマを描くタイプだとしたら、少し見つめ直してみてもよいかもしれません。そのテーマを何か違うストーリー、違うジャンル、違うプロットで表現すると、どうなるでしょうか？　あるいは逆に、違うテーマにする方が、ストーリーが引き立ちますか？

力強いテーマには「正直さ」が大切

書き手として、私たちは「正直になること」や「弱さをさらけ出すこと」、「自分の全身全霊を作品に注ぐこと」、そして「自意識過剰にならないこと」が大切だとよく口にします。それはつまり、どういうことなのでしょうか？

単純な質問から始めましょう。「正直なフィクションとは何か？」。それは、次のようなものだと私は思います。

「正直なフィクション」とは

1．真実性を感じられるフィクション

ノーベル文学賞を受賞したアルベール・カミュは、こんな名言を遺しています。

フィクションとは、我々が語る真実によって作られる嘘である。

優れたフィクションは、必ず、真実のフィクションになります。フィクションにおける正直さは、まず、前提やシチュエーション、リアクションなどについて、書くべき事実を正確に書くことから始まります。そしてまた、モラルと関連した普遍的なリアリティと共鳴することも必要です。それは、一般的に「正しい」とされている選択をキャラクターにさせることではありません。キャラクターの選択や決断が生む影響や代償を、率直に、誠実に示すことです。

2．自分の価値判断を切り離したフィクション

前に挙げた中国の諺を、もう一度、振り返ってみましょう。

真実は三つある。私の真実、あなたの真実、そして本当の真実。

フィクションにおける正直さとは、書き手自身の真実を示すことではありません。キャラクターにとっての真実を第一に描くことです。あなたの価値観や考え方に合わないキャラクターに何かを語らせる時も、そのキャラクターの思想に忠実でいなくてはいけません。

あなたは自分の作品に登場する悪者が嫌いですか？　もしそうなら、その悪者を書くのに苦労するかもしれません。キャラクターを巧みに、正直に描くには、彼らの中に入り込むようにして、完全に理解しなくてはならないからです。客観的に見てひどい人間でも、自分を愛するように彼らを愛するべきです。彼らに賛成して応援せよという意味ではありません。あなた自身の主観を離れ、キャラクターの主観で書くということです。

3. 自分の心に響くフィクション

「自分が知っていることを書きなさい」とよく言われます。それは、自分の実体験だけをもとにストーリーを作れという意味ではありません。「正直になれ」という意味なのです。

それは、たとえ怖くても「鎧を脱いで」書くことです。あなたの心の深いところにあるものを感じ、不愉快なものや恥ずかしいもの、怖いものを見つめ、キャラクターやテーマと共鳴する部分を見つけることです。

正直になって書くというのは、自分の暗い秘密を明かすことではありません。でも、キャラクターの内面に何らかの感情が生まれる場面を書く時は――それが「よい」感情でも「悪い」感情でも――あなたも同じ感情を抱き、規制をかけずに書くべきです。

正直になれていない時のサイン

正直なフィクションを書くということは、ただそう信じて書くだけでは達成できません。とんでもなく大変な作業です。正直に書くことを積極的に大切にし、一語一語を意識して紡ごうとする時に初めて可能になります。

なぜ、それほど難しいのでしょう？　その理由の一つは、正直になって書くことが書き手に都合よく働くとは限らないからです。プロット作りの役に立ったり、楽しく書けたり、読者を喜ばせたりするような得になるかはわかりません。

劇作家で映画脚本家のドナルド・マーグリーズは、作品に対する正直さについて語っています。書き手が作品に合わないシーンやセリフ、ジョークを書いてしまう理由は、ただ「個人的に好きだから」それを消したくないだけだというのです。つまり、自分がどれほど気に入っていても、作品に合わなければ「愛しきものを殺す」ことが必要。彼の言葉を引用します。

絶対的に心がけているのは、真実を書くことさ。すごく単純に聞こえるだろうけどね。だが、僕が思うのは（中略）書き手が楽しみ過ぎてキャラクターに干渉したり、主張を邪魔したり、あるいは逆に、客観的になり過ぎてキャラクターやシチュエーションを批判したりするなんてことをしていては、まずいんだ。できる限り正直に、共感しながら書かなきゃだめ。距離を置いてはいけない。

フィクションにおける正直さとは

私は自分のフィクションに正直でありたいと思っていますが、実際は、ほとんどただ書いているだけです。キャラクターの行動や発言を綴るだけであり、それが正直かどうかのチェックはしません。でも、時折、少し掘り下げが必要なシーンに出会います。特に記憶に残っているのはファンタジー小説『Dreamlander』のミッドポイント〔ストーリーの構成において、全体のちょうど真ん中あたりで起きる転機〕の戦闘シーン。書いた原稿はあまりにも薄っぺらで退屈で、批評をしてくれるパートナーからも不評だったのです。書き手として、私は自己の内面を見つめる必要がありました。

私は執筆の手を止め、静かに考える時間を取りました。このシーンは主人公にとって、初めての本格的な戦闘です。彼のリアクションはストーリーにとって重要ではありませんが、出来事は彼の人生を一変させるほどのものです。彼の心は激しく反応するはずなのに、浅い描写だけで通り過ぎてしまっていたのは、私が正直になれていない証拠でした。

「私がこの戦場で戦うとしたら、どう感じるだろうか？」と自分の胸に問い、その上で書き上げたシーンは今まで私が書いてきた中で、最もよいものになったと思っています。編集者も先に書いたパートナーも気に入ってくれました。読者レビューで言及して頂けるのも、そのシーンが最も多いです。内面を掘り下げ、正直に書いた文章だったから、読者の心に響いたのだと思います。

作家で講師のマーサ・アルダーソンのツイート（@plotwhisperer）に、こんな言葉がありました。

書く時は真実を掘る。最初に思いつくのは上っ面（うわっつら）——たいていは、人から聞いたり指摘されたりしたこと。本当の真実はもっと深い。

『Dreamlander』の戦闘シーンの執筆時、私は平凡なアクションヒーローの物語をなんとなく想定していました。タフで並外れたキャラクターが臆せず突き進む話です。でも、戦場に出たキャラクター本人は五感で受け取る刺激にただ圧倒され、目の前の現実を人ごとのように感じるかもしれません。まるで、離れたところから、もう一人の自分が自分を見ているような感じ——それが真実なのではないか、と思い直しました。

そのシーンのことは、今もよく考えます。たとえば、物事を単純に捉えているのではないかと思う時。あるいは、自分の思い込みを突き破り、正直な感情やテーマの真実を探す時。すべてのシーンの核に正直さを求め、自分の心の奥深くに挑むことを、いつも忘れずにいたいからです。

フィクションを書いていて、これでいいのだろうかと不安になったら、一つひとつのシーンを書くたびにテーマの真実を探して下さい。大きな真実も、小さな真実も探しましょう。

第9章

初稿でテーマを描く

「必要なことはいつも同じ。
どんなに過酷でも、
真実にたどり着くまで掘り下げていくことです」
——メイ・サートン

プロット作りは物語の時系列の順には進みません。特に、初期のアイデア出しの段階では、AからBへと順序よく書けるほど単純ではないでしょう。脳は自由に発想を飛躍させようとします。AからZを思いついたら、突然DやMやUへ飛んだりします。しばらくしてから、ようやくBが考えられる、という具合です。発想の順番とは異なり、作品となるストーリー自体には順序があります。初稿でAのシーンを書いたら、次はBのシーンを書かねばなりません。Zのシーンは、それまでの流れをすべて書くまでお預けです。

執筆時にはそうした制約がありますから、事前にアウトラインを作って発想を自由に羽ばたかせておくのは、たいへんよいことです。きちんと整った物語を書くには、まず、一歩引いて全体像を見ること。物語を眺め、それぞれのピースが相互にどう影響し合っているかを一覧しましょう。

ストーリーのいろいろな面（プロットやキャラクターアーク、テーマなど）に焦点を当てて、詳しく検討することも多いと思いますが、それらが単体では働かないことを忘れずに。キャラクターにはテーマが必要であり、プロットにはキャラクターが必要です。

ですから、何か一つだけのアウトラインを作るのは無理。花から花へと「ちょこまか動く」かのような要領で進めましょう。プロットについての疑問の多くは、キャラクターやテーマ次第で答えが決まりますし、その逆も同じです。プロットに対する答えを探すには、ウサギの足跡をたどるかのように、キャラクターの動機を追います。そのためにはキャラクターアークをたどります。すると、「プロットの最後にキャラクターはどうなるのかな」と、さらに考える必要のある問いが生まれるでしょう。

忍耐強く、このプロセスを続けて下さい。疑問が一つ浮かぶたびに考えましょう。アウトライン作りの段階では、かっちりとした枠にはめようとせず、走るウサギを追うように発想を飛躍させ、しばらくしてから最初の疑問に戻って答えを出すようにして下さい。

「ちょこまか動く」は小さな視点だけでなく、プロセスのほぼ全体にまたがる大きな視点でも使えるテクニック。ですが、意識的に使ってほしい三つのエリアが存在します。

1. プロットとキャラクターとテーマの編み合わせ

この三つは重要です。すべてが統合できていなければ、しっかりと編み合わせることが必要でしょう。でも、三つを同時に考えるのは困難です。少しプロットを考えてからでなければ、キャラクターに対する理解も深まりません。そうしてじゅうぶんな知識が揃うと、ようやくテーマがわかり始めます。全体を考える過程は、少しずつ進むのです。

●キャラクターの対外的な目的を考える時は（**プロットの疑問**）、そのキャラクターが求めるWANTが及ぼす影響も考える（**キャラクターアークの疑問**）。WANTはキャラクターが信じ込んでいる「嘘」に影響を受けている。そして、「嘘」は「真実」の正反対のものである（**テーマの疑問**）。

●主人公と敵対者との対立や衝突を考える時は（**プロットの疑問**）、それがキャラクターの内面の葛藤にどう駆り立てられ、また、内面の葛藤をどう表しているかも考える（**キャラクターとテーマの疑問**）。

●ストーリーの中でのキャラクターの態度の変化を考える時は（**キャラクターアークの疑問**）、それによって対外的な目的や敵対勢力への反応がどう変わるかも考える（**プロットの疑問**）。

このように、複合的に考え続けて下さい。プロットの疑問が浮かんだら、それに関連するキャラクターとテーマの疑問も一緒に考えましょう（その逆もしかりです）。三つの要素を響き合わせていかなければ、どれかが置き去りになってしまいます。

2. 主人公の目的と敵対者の目的の編み合わせ

物理的に離れていても、主人公と敵対者は切り離されているわけではありません。両者の目的は相容れず、対立や葛藤が生まれてプロットを形作ります。

主人公と敵対者の関係を、二人の木こりが木を切る行為として想像してみて下さい。二人は木をはさんで向き合い、一本のノコギリを押したり引いたりしています。一人が動きを止めればノコギリは動かなくなり、木を切り倒すことはできません。

キャラクターたちがプロットの中で目指す目的も、相互に関わり合いながら発展します。

●主人公がプロット全体を通して目指す目的を考える時は、それが敵対者側の目的を目指す行為によっていかに妨害されるかを考える。

●主人公がシーンの中で目指す目的を考える時は、それが敵対者側が求めている目的をいかに妨害するかを考える。敵対者は防衛または反撃をするはずで、そこから敵対者の新しい目的が生まれる。

●主人公が一人になって考え、計画を立てている時は、敵対者もまた一人で計画を立てている。

主人公がすごいことをする、恰好いいバトルを書くつもりでも、その前後の敵対者のもくろみや反撃との因果関係がプロットにないとしたら、あまりにお粗末です。プロットは「主人公と敵対者のギブアンドテイク」と考え、双方が等しく盛り上がるように計画して下さい。

3. 主観と時間軸とプロットポイントの編み合わせ

基本の要素を編み合わせたら、効果的な語り方を選択しましょう。「きれいに見える」効果を狙うだけではありません。語り方はストーリーの核心には影響を及ぼしませんが、ストーリーを運ぶ車輪のような働きをします。

語り方の選択肢とは、次のようなものです。

● 一つひとつのシーンを誰の主観で描くか？
● 複数のストーリーラインや時間軸を用いる場合、シーンの順序をどうするか？
● 複数のストーリーラインやキャラクターアークがある場合、それぞれのプロットポイントをどう調和させるか？

どの選択も、シーンの順序や焦点を左右するものばかり。この選択を繰り返すことで、最終的には、物語全体の流れとそのストーリーが持つ力が形作られます。

語り方を選択するには、ストーリー全体を眺めることが必要です。

●途中で主観を脇役に切り替えてシーンを描き、その後でまた主人公の主観に戻してシーンを描いた場合、どんな効果が得られるか？　また、どんな逆効果があり得るか？
●複数のストーリーラインや時間軸を用いるなら、シーンの並べ方を工夫する。どんな順序にすればテンションや受け手の興味関心が最もうまく維持できるか？　また、どんな順序にすれば複数のストーリーラインの出来事やテーマを対比、あるいは反映ができるか？
●複数のキャラクターのアークを作るなら、それらとプロットポイントをどのように調和させるか？　それによって、主観の選び方はどんな影響を受けるか？

ストーリー作りに大切なのは、最善の選択をすること。完璧な選択はなかなかできないものですが、すべてのピースをチェスの駒のように考えながら動かせれば、全体のために動かすべき駒や守るべき駒、捨てるべき駒の見当がつくでしょう。

理論がわかれば、物語の駒を正確に、自信をもって「ちょこまか動か」せます。それがプロット作りの秘訣です。ただシーンを書き連ねるだけでなく、テーマも着実に、パワフルに描き出して下さい。

クライマックスで表れるテーマを見て考える

テーマとは問いです。その答えはクライマックスに表れます。物語で描く対立や緊張はクライマックスで頂点に達し、主人公か敵対者が勝利しますが、それだけではありません。この勝敗にも物語のテーマが表れるのです。

スティーヴン・キングの『刑務所のリタ・ヘイワース』のクライマックスで、主人公アンディ・デュフレーンが脱出するのは刑務所からだけではありません。ここではテーマの「真実」も示されています。絶望的な状況でも人は希望があれば生き、大逆転して再出発できる、という主張です。

脱獄が失敗すればアンディは一生刑務所から出られません。しかも、彼が主張するテーマは誤りだと立証され、反対側の主張（「君に教えてやるよ。希望なんて持つのは危険さ。希望は人を狂わせる」）の方が真実だと示されてしまいます。

あなたの物語のテーマ（または主人公のアーク）がまだはっきりしていないなら、クライマックスを見て下さい。そこで何が起きますか？　主人公はどんな闘いをしていますか？　悪者を退治する、恋人を取り戻す、「マルタの鷹」を盗むなど、何か具体的な目的があるでしょう。そうした表面的な目的の下に、テーマが抱える深い理由が存在します。主人公の動機はテーマの核心でもあるのです。

最終決戦の理由がテーマと無関係なら、ストーリーはまとまりません。それでも、派手なフィナーレにはなるかもしれませんし、まあまあ楽しめる話にもなるでしょう。でも、思考や感情を揺さぶる傑作にはなれません。受け手が潜在意識のレベルから見た時「雑で、まとまりのない作品」と感じてしまいます。

クライマックスでテーマを表現するためには、もちろん全体を見渡すことが欠かせません。テーマに対する答えをクライマックスで出すには、あらかじめ問いを投げかけるように、ストーリーを構築しましょう。キャラクターが信じ込んでいる「嘘」を第一幕で示すのは、問題提起だけでなく、「嘘」対

「真実」の対決をストーリー全体に浸透させるためでもあります。テーマについて、最初に一方の意見を出し、次に他方の意見を出し、最終的にクライマックスでどちらかが成功を収めて「立証」する、という流れを作るのです。

結末がテーマを肯定しているかどうかを見て下さい。あなたのストーリーがテーマの「真実」を認めて終わるなら、冒頭は否定で始まっているでしょうか？　つまり、テーマの「真実」は間違っている、という主張で始めるとよいのです。

『刑務所のリタ・ヘイワース』も、主人公が絶望のどん底にいるところから始まります。無実の罪で収監され、再審を請求できる見込みはありません。

このネガティブな主張はポジティブな主張と対峙し、またネガティブなものと対峙して、次にポジティブなものと対峙して——というように、物語の「クライマックス」での最終決戦で、テーマが最終的に立証されるまで続きます。

結末で「真実」を否定する場合は、逆に、ポジティブな主張から始めます。

あなたのストーリーは、どんなふうに終わりますか？　結末は幸福でしょうか、それとも不幸でしょうか？　主人公はどんなアークを遂げますか？　主人公は自分の「嘘」を認め、「真実」に気づきますか？　自分がすでに知っている「真実」を他者にも伝えようとするでしょうか？　あるいは、「真実」から「嘘」へと墜ちていくのでしょうか？

それらの答えの中から、物語のテーマが見つかります。ストーリーの中心となる対立や葛藤と、テーマの核にある原理とを照らし合わせ、相互に駆り立てながら最終決戦へと進展させていきましょう。

「真実チャート」でテーマを把握する

「真実チャート」は一枚の紙に手早く書けるビートシート（ビートを簡潔にまとめた箇条書きの文書）です。テーマとキャラクターの全体像を把握するのに役立ちます。すべてがまとまり、現実的に進んでいるかが一覧できるでしょう。

テーマの「真実」（および、それよりも程度は低いが「嘘」）は、手に負えないほど抽象的で、つかみどころがないことは、よくあります（特に、テーマの「真実」が「愛」などの大きな概念の場合はそうでしょう）。そのような普遍的な概念の表現方法はたくさんあるため、的を絞るのは難しいものです。一つの「真実」を、物語の中でいろいろな表し方で描いているのに自分で気づくかもしれません。抽象的なテーマをどうまとめるかで迷う時もあるでしょう。

私はある小説のアウトラインを作成中に、プロットとキャラクターアークがテーマと結びついているかをビートごとに確認するために、あるエクササイズが必要だと気づきました。そこで考え出したのが、ここでご紹介する「真実チャート」です。

「真実チャート」とは？

「真実チャート」の項目を詳しくご紹介する前に、まず、ざっと概要を見ておきましょう。

物語で示す「大きな真実」（メインテーマ）：
物語で示す「大きな嘘」：

キャラクターが信じている「真実」：
キャラクターが信じている「嘘」：

キャラクターが求める「WANT」：
キャラクターにとって本当に必要な「NEED」：
キャラクターのバックストーリーにある「ゴースト」：

第一幕―「大きな嘘」の具体例：
第一幕―物語で示す「真実」の「小さな」兆し：
第二幕―「真実」の一面が解毒剤になる（「真実の瞬間」）：

第三幕―残る「嘘」の「最大」の塊：
第三幕―クライマックスで示す「真実」：

テーマの真実チャートを一行ずつ構築する

ここで述べる要素の説明や、相互作用のさせ方については巻末の付録「五つの主要なキャラクターアーク」を参照して下さい。ここでは、それぞれの項目をざっと眺めていきましょう。

物語で示す「大きな真実」（メインテーマ）：これが、あなたのストーリーのテーマです。キャラクターが信じている「真実」（例：不当に投獄されても希望があれば生きて脱出できる）ではなく、普遍的な原理を指します（例：希望がある限り人は生きていける）。一つの言葉だけで表すよりも（例：希望）、意図を示す文で書く方がよいでしょう。

物語で示す「大きな嘘」：先ほどの「大きな真実」の反対の主張が「大きな嘘」です。「大きな真実」のように、キャラクター自身が信じ込んでいる「嘘」を広義に捉えて表してみて下さい。この「大きな嘘」は脇役や主人公を取り巻く世界、敵対勢力など、あらゆる部分に影響を及ぼします。

キャラクターが信じている「真実」：特定の状況に置かれているキャラクター自身が、「真実」をどう見ているかを表します。「愛と償い」のような「大きな真実」を扱うストーリーはたくさんありますが、それをどのように具体的に展開するかは『ジェーン・エア』や『LOGAN／ローガン』（二〇一七年）を見れば明らかなように、ストーリーによって千差万別です。

キャラクターが信じている「嘘」：「大きな真実」（と、「大きな嘘」）がチャートの始めにあるのは、その「真実」があなたのストーリーを定義する原理だからです。でも、実際の創作過程は「キャラクターが信じている『嘘』」を通してテーマを見出すことが多いでしょう。その「嘘」はプロットで描く問題の根底にあります。キャラクターは自己や世界について、「真実」とは異なる思い込みをしています。それを理解していないがゆえに、プロット上の目的地を目指す中で、常に障害（対立や葛藤）とぶつかってしまうのです。

キャラクターが求める「WANT」：キャラクターが求めるWANTは「愛されること」といった広くて抽象的な概念の場合もありますが、プロットではそれが具体的な目的になります。また、WANTはどこか見当違いであることも多いです。キャラクターの動機がどこか間違っている（「嘘」に従っている）のかもしれません。あるいは、間違った手段を選ぼうとしています。

キャラクターにとって本当に必要な「NEED」：究極的には、キャラクターは「真実」を理解することが必要なのですが、プロットではそれを具体的な目的として表現します。NEEDから逃げているキャラクターもいる反面、意識的にそれを「求めて」いる場合もたくさんあります。「嘘」に基づくWANTと「真実」に基づくNEEDとの間で板挟みになったキャラクターは、激しい内面の葛藤を体験します。

キャラクターのバックストーリーにある「ゴースト」：「ゴースト」（傷（ウンド）とも呼ばれます）は「嘘」が初めてキャラクターの内面に根付いた瞬間であり、「嘘」に従うようになった原因となる出来事のことです。トラウマとなる出来事が多いですが（例：両親の死）、「よい」出来事がキャラクターの人生観を誤った方向に導く場合もあるでしょう（例：何かに成功して賞賛を浴びる）。

第一幕—「大きな嘘」の具体例：第一幕での主人公は、物語の「大きな嘘」に従いながら、夢や願望、目標を追い求めています（WANT）。また、その「大きな嘘」は、主人公がNEEDやWANTへ向かう力を直接的に妨害するメッセージとして表れます。それは主人公の「普通の世界」の価値観や信念体系でもあるでしょう（ネガティブな変化のアークをする場合も同様です）。キャラクターたちは「嘘」が現実を動かしていることを疑問にも思わず、当たり前のこととして受け入れています。

第一幕—物語で示す「真実」の「小さな」兆し：第一幕の大部分では、まだ「真実」と「嘘」の対立が目立ちません。主人公がいる状況も比較的穏やかですが、テーマの「真実」の「小さな」紹介は必要です。槍の小さなひと突きのように「真実」に刺激を与えると、キャラクターは徐々に「嘘」に気づき始めます（ネガティブな変化のアークでは「真実」に対する抵抗を加速させます）。

第二幕―「真実」の一面が解毒剤になる（**「真実の瞬間」**）**：**第一幕のセットアップの後、第二幕では主人公が本格的に対立や衝突を体験します。「嘘」と「真実」との間で内面の葛藤も起こるでしょう。第二幕前半で起きる一連の出来事によって、「真実」への気づきが（知らず知らずのうちにでも）大きくなっていきます。

その流れは、ミッドポイントでの衝突でついに外に表れ、キャラクターは「真実の瞬間」で何かにはっと気づきます。ここでのキャラクターの反応はアークの種類によって異なります。いずれにしても、キャラクターがここで見出す「真実」は完全なる「大きな真実」ではなく、むしろ「真実」らしきものに「半分近づいた」状態です。それをプロットの中で表現するには、「真実の瞬間」を第一幕での「嘘」に対する「解毒剤」にします。

第二幕後半で、キャラクターは「嘘」を完全には拒絶せず（または「真実」を完全には受け入れず）、第一幕での「嘘」と「真実」の修正されたバージョンを信じるようになっています。

第三幕―残る「嘘」の「最大」の塊：第三幕はキャラクターアークにとって難しいところです。というのも、ほぼ成長を遂げたキャラクターにもう一度、クライマックスで最大の気づきをさせるわけですから。そこで、第三幕のために「嘘」の「最大」の塊を用意します。すでにキャラクターは「真実」の大部分を受け入れていますが、見落としている点もあるでしょう。主人公（フラットなアークでは周囲の世界）にまだ見えていない、「最大」の「嘘」。それが最終的な「嘘」についての「議論」となります。

第三幕―クライマックスで示す「真実」：第三幕での「嘘」の「最大」の塊との対決では、「物語の真実」のクライマックス版を示します。本質的にはテーマの「大きな真実」と同じですが、物語のメインの対立に決着をつけるような、具体的な「真実」に磨き上げるとよいでしょう。「真実」との最終的な向き合い方は、キャラクターがどのようなアークをするかによって、さまざまです。

キャラクターアークに正解を見つける方法

ストーリーの構想を始めたばかりの頃は、「真実チャート」をすべて埋めるのは難しいかもしれません。ストーリーにふさわしい「真実」と「嘘」、およびテーマとキャラクターアークはアイデアを練りながら、少しずつ、自然に見つかっていくものです。プロットと、そのプロットの中で繰り広げられるキャラクターの旅については、まず内容がある程度固まってから（またプロットを作りながら）正しい答えがわかります。

テーマの「真実」は、ストーリー全体の構成の中で、あらゆる要素から自然に表れるのが理想です。ストーリーの全体的な形がまとまってきたら、「真実」を探し始めましょう。

あなたはストーリーによって、何を問いたいですか？　たとえば、私は次のような問いをしています

（全般的なテーマは「宿命」です）。

- なぜ自分はここにいるか？
- 自分はどんな人になるのか？
- この世界での自分の宿命は？
- この世界で自分が負う責任は？
- どんな人生の物語があるか？

自分自身と語り合いながら書いてみましょう。どんなテーマが表れるでしょうか？　ストーリーを通して考えてみたいテーマは何でしょうか？　それを一つの「真実」に要約してみて下さい。いろいろな「真実」が思い浮かぶかもしれません。考え続け、磨き続けましょう。クライマックスで示す「真実」を念頭に置き、照らし合わせることを忘れずに。その「真実」は、物語の始めにあったキャラクターの悩みや思い込みと、どのように結びつきますか？

いずれ、ストーリーの「真実」が総括できる選択肢を思いつくでしょう。それ以外のアイデアも書き残しておいて下さい。それらは第一幕と第二幕でキャラクターが出会う「小さな真実」の候補になります。キャラクターはそれらと向き合い、クライマックスで「大きな嘘」を克服し、「大きな真実」を受け入れます。

「真実チャート」の例

「真実チャート」を埋めていくと実際にどうなるか、私が作ったアウトラインをもとに、例としてご紹介します。

二つのバージョンを挙げました。まず、物語のメインテーマを表す主人公のチャート。次は、主要な脇役のチャートで、メインの「嘘」と「真実」を補助的に探究しています。

物語で示す「大きな真実」（メインテーマ）：人がすることには、みな意味がある（また、人は何をすべきか知っている）。

物語で示す「大きな嘘」：運命なんて嘘っぱち。人生に物語などなく、意味もない。

主人公とメインテーマの真実チャート

キャラクターが信じている「真実」：自分の信念に対して責任を負うことが、最も重要な運命である。

キャラクターが信じている「嘘」：私は世界を救うために生まれてきたのではない。私の行動はすべて行き当たりばったりであり、失敗もある。

キャラクターが求める「WANT」：世界を救い、愛する人と幸せに暮らすこと。
キャラクターにとって本当に必要な「NEED」：意味のある人生を生きること。
キャラクターのバックストーリーにある「ゴースト」：自らの過ちが破滅的な結果を招いたこと。

第一幕—「大きな嘘」の具体例：自分の行動がよい結果を生む確証はない。
第一幕—物語で示す「真実」の「小さな」兆し：あきらめられない。行動しなくてはならない。
第二幕—「真実」の一面が解毒剤になる（「真実の瞬間」）：自分の行動には意義がある。なすべきことをする能力を持つのは自分しかいないから。
第三幕—残る「嘘」の「最大」の塊：運命は定められた物語。そうでなければ人生は無意味だ。
第三幕—クライマックスで示す「真実」：運命は決まっているかもしれないが、犠牲を厭わず自らの信念に従おうとするなら、何かができるかもしれない。

脇役とサブプロットの「真実チャート」

キャラクターが信じている「真実」：私の運命は、自分が物語について理解しているものより壮大だ。
キャラクターが信じている「嘘」：物語は間違いのないもののはずなのに、自分はそれを壊してしまっているのではないか？

キャラクターが求める「WANT」：語られた運命の通りにすること。

キャラクターにとって本当に必要な「NEED」：信仰に身をゆだね、現実と自分の立ち位置を、さらに大きな規模で受け入れて自由になること。

キャラクターのバックストーリーにある「ゴースト」：運命だと信じてきた物語が正確ではないと気づいたこと。

第一幕―「大きな嘘」の具体例：私の運命は自分のアイデンティティを見ればわかる。

第一幕―物語で示す「真実」の「小さな」兆し：現実と自分の立ち位置についての事実を否定するのをやめなくてはならない。

第二幕―「真実」の一面が解毒剤になる（**「真実の瞬間」**）**：**運命をまっとうするには、自分のアイデンティティや限定された物語への固執をやめるべき。

第三幕―残る「嘘」の「最大」の塊：運命をまっとうするには、それを理解しなくてはならない。

第三幕―クライマックスで示す「真実」：私がすべきことは、信仰に従って行動することのみ。

すべての章でプロットとキャラクターとテーマを編み合わせる

プロットとキャラクターとテーマの三大要素でストーリーの基盤を築けば、それらはどのシーンにも自然に表れます。

優れたストーリーはシーンの構成も適切にできています。さらに高度なレベルになると、アクションとリアクションの繊細なバランスにも配慮をし、シーンの構成にも工夫がなされています。一つひとつのシーンにテーマを反映するには、シーンの構成自体ではなくプロットとテーマとキャラクターの基礎的な相互作用に注目して下さい。

1. シーンの水準でプロットを見る

プロットとは外に表れる対立や衝突であり、物語の中の出来事を物理的に動かします。プロットとは「ストーリーの中で起きること」だと言えます。「善人が悪人と戦い、恋を実らせる」などです。それがプロットです。

プロットをうまくまとめるには、ストーリーの構成が必要です。構成の捉え方はいろいろありますが、どれも基本は同じ。設定、対立、解決を経てエンディングへとアークする、という形です。

それがストーリー全体の枠組みですが、全体を小分けにして見る時は、何に気をつければいいのでしょう？　シーン単位でプロットを確認したい時の注意点は、何でしょうか？

キャラクターやテーマと比べると、プロットは最もたやすくシーン単位での確認ができるでしょう。一つひとつのシーンは、いわば小さなストーリーです。シーン自体の構成があり、感情的なアークがあるはずです。うまく構築すれば、シーンの枠を超えた連続性を生むことが可能です。

一つのシーンを前半と後半に割ってみて下さい。それらは次に挙げる組み合わせのうち、どれに当てはまっているでしょうか？

- 行動＞リアクション
- 疑問＞答え
- 行動＞学び
- 感情＞反対の感情

作家であり脚本家のドワイト・V・スウェインの古典的なアプローチは、一般的にはあまり取り上げられませんが、よい考え方だと思いますのでご紹介します。

パート1　シーン（アクション、行動）

a．目的：（プロット全体を通じた）メインの目標を目指すキャラクターが、シーンの中で達成しようとするもの。

b．対立・葛藤：目的を目指すキャラクターが障害物に遭遇する。

c．結果：キャラクターは何かを得るが、たいていは悲惨な結果に。意図した通りの成功ではないか、部分的にしか成功していない。

パート2　シークエル（リアクション、反応）

a．リアクション：キャラクターは行動の結果に反応する。

b．ジレンマ：キャラクターは新しい事態を乗り越える方法を編み出し、プロット上のメインの目的地に向けて進み続けねばならない。

c．意思決定：キャラクターは新しい事態に対応しながらプロット上のメインの目的地に向かうために、シーンの中での新たな目的を決める――うまくいきますように、と期待して。

このように考えるとシーンの間に因果関係が生まれ、うまく連鎖させることができます。シーンの最後の「意思決定」が、確実に、次のシーンの目的になるのです。そのようにして、シーンを次々と連続させていけます。

シーンの構成を完璧にすれば、シーンのプロットも完璧になるでしょうか？　基本的にはそうですが、確約できるわけではありません。さらに、次の点を確認して下さい。

●どのシーンの目的もプロット全体の目的に関連しているか（サブプロットのシーンも同様）。

●どのシーンの「結果」もプロットを変化させながら先へと進めているか。

2. シーン単位でキャラクターを見る

プロットとキャラクターとテーマの三大要素のまとまりと共鳴のために、「キャラクター」について考えるべきことはたくさんあります。

魅力的なキャラクターを作り、読者の関心を維持すること。プロットとテーマの模索の両方に耐え得る複雑さをキャラクターに与えること。でも、ここで最も大切なのは、プロットで描く対立関係の影の部分を浮き彫りにすることです。つまり、キャラクターの内面における葛藤の表現です。

プロット全体を眺めてキャラクターアークが把握できたら、それがシーン単位でもうまく進行できているかを確認したくなります。どうすればいいのでしょうか？

先ほどのシーンの構成とプロットに比べると、キャラクターアークの確認は理屈では考えづらいところがあります。でも、キャラクターアークについての答えも、やはり構成の中にあるのです。シーンの中の「感情のアーク」に注目して下さい。

プロットとキャラクターを協調させるには、対外的な対立や衝突と、内面の葛藤が相互に勢いを与え合うように構成することです。出来事によってキャラクターは変わり、心が葛藤するためにプロットに影響が及びます。どのシーンもそのように作って下さい。

シーンにキャラクターをうまく組み込めているかを確認するには、そのシーンがストーリーを変化させているかどうかを見ます。プロットの確認と同じく、それが唯一の方法です。

最近、あなたが書いたシーンを読み返してみましょう。そのシーンはキャラクターをどう変化させますか？

それはおそらく、わずかな変化です。そうでなければ違和感を与えるか、あっさりと解決し過ぎだと受け手を落胆させるでしょう。心理状態であれ、対外的な関係であれ、完全な変化を遂げているなら、それは物語の終わりの予兆になります。

それでは、「行動∨学び」と「感情∨反対の感情」の視点からシーンの構成を確認する方法を詳しく見てみましょう。どんなシーンにおいても、キャラクターの進展を作るために重要です。

行動∨学び

シーンの中でキャラクターは何かを目指して行動し、障害に遭遇し、もっとうまく立ち回る方法を学びます。その意味では、「行動∨学び」はストーリーの表面だけに表れる過程だと言えますが、キャラクターの内面の成長をシーン単位で測る上でも役立ちます。

次の質問について考えて下さい。

●そのシーンで起きることは、キャラクターの内面の葛藤をどう変えるか？
●他者との対立は新しい情報をもたらす。キャラクターにテーマの「真実」への洞察を与え、「嘘」を不快に感じさせるような情報は何か？
●キャラクターは、後に続くシーンで起きる対立や問題への対処に向けて、内面をどう整えるべきか？

曖昧な答えしか浮かばなければ、そのシーンのキャラクターやキャラクターアークを見直してみて下さい。

感情＞反対の感情

先に挙げた方法を使い、キャラクターの「学び」を表に出して描くのが適切な場合もあります。ただし、何を「学んだ」かは言葉の外で匂わせる程度にしましょう。そうしないと、陳腐で道徳的な表現になってしまいます。

キャラクターの変化をあからさまにせず、程よく見せるには、どうすればいいのでしょうか？

キャラクターが次々と行動していくのに合わせて、内面の状態も変化させましょう。シーンの最初の時の感情のままで、そのシーンを終わらせていませんか？　出来事を利用して、キャラクターの感情の変化をはっきりと表現して下さい。たとえば、シーンの始めでキャラクターが明るい気持ちなら、最後は心に翳りを持たせて終わる。知的好奇心が高まった状態で始まるなら、最後は納得して終わる。憂鬱な気分で始まるなら、高揚して終わらせる、などです。

もちろん、シーンの最初と最後の感情はストーリー全体にとって自然で、なおかつプロットを進展させるものにすること。キャラクターが理由もなく落ち込み、やがて機嫌を直しても、周囲に変化が起きなくては意味がありません。シーン２の最初でキャラクターが落ち込んでいれば、それはシーン１で何かがあったからです。シーン２の最後でハッピーになれば、それがシーン３の始まりに続きます。

3. シーン単位でテーマを確かめる

シーンにテーマを反映するのは一番簡単。プロットとキャラクターが相互に影響を与えていれば、テーマは両者を貼り合わせる糊のように存在しているはずです。

プロットやキャラクターに比べると、テーマはほとんど目立ちません。プロットとはシーンの筋で、キャラクターはそれを動かすエンジンです。でも、テーマは暗示するしかないことが多いです。

テーマが「愛はすべてに勝つ」だとすれば、何らかの形で愛や、愛でないものについて描くシーンがある反面、それらが何も含まれていないシーンもあるかもしれません。ですが、どのシーンを書く時も、でしょう。

「愛はすべてに勝つ」をキャラクターの内面の変化の核に据えれば、アクションにも一貫性が生まれるでしょう。

たとえキャラクター自身が意識していなくても、一つひとつのシーンで彼らが探し求めているものこそ、テーマなのです。テーマが訴える「真実」に近づくか、遠ざかるかで、プロットの中でのキャラクターの変化が決まります。シーンがそのようになっていなければ、そこで起きるアクションとキャラクターの変化や反応が作品全体に合っているかを考えて下さい。

再確認するために、キャラクターの「学び」と「感情」に注目しましょう。どちらもテーマと結びついていますか？

テーマが「愛」なら、「みんなの助けがなくては目的を達成できない」といった「学び」も生まれるでしょう。友への感謝や、信頼できる友がいない寂しさといった「感情」も発生するかもしれません。

シーン単位でテーマを描くには、あと一つ、キャラクターの内面で起きる「嘘」と「真実」の葛藤を、モラルや哲学的な議論で表現する方法があります。たとえば、主人公の主張が誰かに反対されて、対立や衝突が起きる場合は、プロット自体がテーマ性を帯びます。

すでに作品全体にわたって、プロットとキャラクターとテーマの三大要素を調和できている人は、シーン単位での作業がずっと楽になります。物語のピースをなめらかに合わせながら、直感的にシーンからシーンへと効果的につないでいければ申し分ありません。

第10章 読まずにはいられないストーリーを作る

「むき出しの美と躍動する生命、
その謎の深淵を探るのだという期待がなければ、
なぜそれを読むのでしょう？」
——アニー・ディラード

去年読んだ本か、観た映画を思い出して下さい。今も鮮明に覚えている作品は、どれでしょうか？逆に、もう内容を忘れかけている作品は？

前者と後者を比べましょう。あなたはどちらのタイプの作品を作りたいですか？

言うまでもありません。読者や観客の記憶に残る、前者です。

ストーリーには二種類あります。何かについてのストーリーと、何かに「ついての」ストーリーです。これまでに述べてきたように、プロットとは物語の本質を視覚的な暗喩として表現したものです。本質とは、物語の下に隠れている物語のことです。そして、その「下に隠れている物語」がはっきりと具体化したものがテーマです。けっして語られることのないサブテキストも、プロットを体験する読者に深い影響を与えます。文章として記されないでいるものが、あなたのストーリーを「いい」作品から「脳裏に深く刻まれる」作品へと飛翔させるのです。

これから対照的な例をいくつか挙げていきます。まず、それらのストーリーが何について描いているか（表面上に描かれているもの）。次に、それらが何に「ついて」描いているかを見ていきましょう（本質的に描かれているもの）。

表面上は何について描いているか

▼例

ロブ・ライナー監督の『スタンド・バイ・ミー』（一九八六年）：原作はスティーヴン・キングの同名の中編小説で、原題は「死体」を意味する『THE BODY』。表面的には、四人の少年の冒険についての物語。行方不明の少年の死体を発見すれば、自分たちの写真が新聞に載るに違いない、と四人は期待に胸をふくらませる。

デヴィッド・イェーツ監督の『ターザン：REBORN』（二〇一六年）：エドガー・ライス・バローズが創作したキャラクターを映画化した作品。表面的には、ジャングルで孤児として育った英国貴族の末裔についての物語。彼は宿敵に立ち向かい、愛する者たちを守るためにアフリカでの生き方に回帰せざるを得なくなる。

本質的には何について描いているか

▼例

『スタンド・バイ・ミー』：スティーヴン・キングの作品の多くでおなじみの抒情的な郷愁や、時折出てくる過剰なバイオレンスやグロテスクな表現は本質的には重要ではない。この作品のポイントは主人公ゴーディをはじめとするキャラクターたちの生と死、友情と成長についての深い内面の旅。

『ターザン：REBORN』：表面に見えるものが、この作品のすべて。中身がなくてがっかりさせる、最近の大作映画と変わらない。それでも例に挙げるのは、主人公のユニークな状況と内面の葛藤（外に表して解決されることはない）を活かす可能性だけはあったため。『スタンド・バイ・ミー』とは対照的に、鑑賞から二、三ヶ月経つと、内容をすっかり忘れてしまう。

「下に隠れている物語」は深いサブテキストから生まれます。それを見つけるには、プロットの中で起きる出来事の筋道をたどりましょう。キャラクターに与えられている、人生についての大きな問いは何でしょうか？

次の質問について考えて下さい。

1. あなたがその物語の出来事を体験しなくてはならないとしたら、魂のレベルで問いたいことは何ですか？

2. 次に、ストーリー全体を眺めましょう。全体にわたって描かれている対立や葛藤は、たとえば「成長」や「死を受け入れる」など、何か深いものの暗喩になっているでしょうか？

3. 1と2で導き出した深い問いや暗喩を最大限に活かすには、どうすればいいでしょうか？

ストーリーの可能性を見過ごすのは、もったいないことです。掘り起こして前面に出しましょう。ストーリーの基盤を強化し、テーマを明らかにして、キャラクターの闘いがどのようなものであるかを読者に伝えて下さい。

優れたストーリーの五つの秘密（忘れやすいこと）

「優れたストーリー」とは知性と理解、情熱とビジョンをもって創作されたものです。観客や読者に感情移入をさせ、考えさせ、キャラクターやプロットに反応させるストーリーのことです。

そこまでの作品はめったにありません。ストーリーよりも派手な見せ場で収益を狙うエンターテインメント業界にもその一因があります（特にハリウッド）。業界が支持するものが、新人作家や映画監督にとっては「成功の方式」のように感じられ、売れ筋のパターンをつい真似してしまうという悪循環に陥ります。問題の大部分はストーリー創作に対する単純な理解不足が原因と言えるでしょう。

それは、憂うべき状況です。

幸い、書き手にはチャンス（と、責任）があります。他の人たちの作品の問題点には気づきやすいはずですから、それらに学ぶことができます。まず、「優れたストーリーテリングの五つの原理」から始めて下さい。「原理」とは、あらゆるストーリーに当てはまる基本的な真理。優れた小説や脚本を書くために必要な考え方です。もちろん、大事なことは他にもありますが、ここに挙げる五つが最も基本的であるために、最も重要です。力作なのに理論的な基盤がぐらつき、残念な仕上がりになっているストーリーの中には、五つの原理を無視しているものが非常に多く見られます。

1. すべての要素をプロットに貢献させる

物語とは、いろいろな要素を巧みにまとめた集合体です。このことは、プロットと構成に顕著に表れます。すべての要素とすべてのシーンをドミノのように、因果関係の連鎖でつなげるからです。その連鎖とは関係のないシーンやプロットのひねりは、物語をたどる読者にとって、あたかも道路の凹凸のように邪魔なものとなってしまいます。

シーンと構成だけでなく、プロットの「すべての」要素にも同じことが言えます。そこで、いつも考えたいことは、モチーフを繰り返して使えるか。また、ほんのかすかにでも、伏線の回収ができるか。何度も同じセッティングや小道具を出してテーマを表現できるか。二、三のやり残しがあってもたいていは大丈夫ですが、「すべてを大切に扱うこと」をモットーにして下さい。

キャラクターはプロットの原動力というだけでなく、テーマを象徴的かつ普遍的に表現します（神話学者ジョーゼフ・キャンベルの教えが「スター・ウォーズ」旧三部作に取り組むジョージ・ルーカスに役立ったように）。あらゆるキャラクターに意味があるのです。

いいキャラクターを二、三シーンに登場させてそれっきり、ということがないようにしましょう。それはまるで、路上であなたを助けてくれた恩人の連絡先を聞かず二度と会わないのと同じです。せっかく大きな影響（恩）を与えてくれそうなキャラクターを登場させたのに、すぐに忘れてしまうなら、無名の通行人でもいいはずです。

付け加えた要素がストーリーと無関係かどうかは、構成を見れば一目瞭然。対立や衝突はクライマックスで決着がつきますから、その瞬間に向けて、すべてを積み上げていきます。疑問に思うキャラクターやシーン、プロットの仕掛けがあれば、いったん削除してみて下さい。それでも物語がちゃんと「クライマックスの瞬間」にたどり着けるなら、物語には不必要なものとして削除しても支障はありません。どれだけそれが恰好よくても、書いていて楽しくても、物語にとっては支障になるでしょう。

2. プロットをテーマに貢献させる

「クライマックスの瞬間」は、トンネルの向こうの光のようにプロットを誘導してくれます。また、テーマも灯台のように、プロットに意味と共鳴を与える道を示します。せっかくプロットを作っても、そこからテーマを掘り起こせずに、単なる物事の寄せ集めで終わるケースはたくさんあります。そうすると、ストーリーで描かれる人間模様は上辺だけになってしまい、それに触れる観客や読者の人生にも、大切なことが伝えられません。

キャラクターやストーリーラインが増えるほど、それらを一つのテーマで編んで意味づける作業に複雑さが増していきます。

あなたのストーリーは、何を伝えようとしていますか？ どんなストーリーも何かを伝えます。「ただの話」というものはありません。キャラクターの心の中を覗き込み、あなたが本当に伝えようとしているものを見つめる勇気が必要です。そして、テーマだけを後で考えるのではなく――見つけたテーマをキャラクターアークとプロットで、忍耐強く表現していけるかどうかが勝負です。

アメリカの小説家ジョナサン・フランゼンがエッセイ集『Light the Dark（未）』で述べた言葉は、あらゆる作家への挑戦とも受け取れます。

私は可能な限り己の魂を見つめ、発見したものを表現する方法を探す。

3. 物事を起こすには理由が必要

ストーリーの創作者はつい、目先の面白いものに気を取られがちです。

少し前に私は、監督のスティーブン・スピルバーグと製作総指揮のジョージ・ルーカス、脚本のローレンス・カスダンの三人が『レイダース／失われたアーク《聖櫃》』（一九八一年）のストーリー会議をした時の逸話を読む機会がありました。彼らが黙々とアイデアを練ったおかげで、あのストーリーが出来上がったわけですが、会議の間スピルバーグがまるで子どものように「そうだ、それから、こういうのがあるといいと思わないか？　巨大な岩が転がってきて、こいつを押しつぶすんだ！」など、次々と、突拍子もないアイデアを出し続けていたそうです。

「わかる、わかる」とうなずきたくなる話です。私たちはみなスピルバーグと同じ。読者のためにも物語を最高に恰好よくしたくて、次々とアイデアを思いついてはワクワクします。

ですが、注意すべき点もあります。迂闊に恰好よさだけを求めると、無意味なものまでどんどん増やしてしまう危険性もあります。実際、スピルバーグのアイデアの多くは採用されませんでした。意味がなければ、恰好よいものも輝きません。

特に、スペキュレイティブ・フィクション〔現実世界とは異なる世界を設定して書かれたフィクション〕を書く人は、この誘惑に気をつけて下さい。ＳＦやファンタジーなどは発想の自由度が限りなく高いため、つい、恰好いいものを詰め込みたくなります。それを野放しにするとどうなるかは、スピルバーグが監督した『ジュラシック・パーク』(一九九三年)の登場人物が言い当てています。

「できるかどうかに夢中になりすぎて、すべきことを考えようとしなかったんだ」

あなたの作品のキャラクターは、登場するための理由があるでしょうか? 新しい場所へ移動するとしたら、それはなぜ? ちょっとおかしなサブプロットを作って入れる理由は? それらの問いへの答えが「なんか、ちょっと、いいかなと思って」なら、考え直しましょう。

いいと思うものを入れてはいけないわけではありませんが、まず、ストーリーにとって意味があることが先決です。それを削除すると話の筋が成立しなくなるぐらい、プロットと一体化したものを選ぶこと。さらに、テーマと共鳴させる必要もあります。「いい感じ」であるだけでなく、それによって何らかの問いを投げかけるか、答えを示すことが必要です。

長くて、複雑な映画は大歓迎——ただし、うまく作られているものに限ります。複雑なものが巧みにまとまり、面白い作品になっていれば最高です。でも、映画でも書籍でも、作者の自己満足のための表現が長々と、散漫に続くものは間違いなく嫌われます。部分的には優れていても、全体がばらばらな印象を与えるストーリーにも、同じことが言えます。

4. キャラクターたちを変化させる

「意味」が大事だと何度も言いました。やはり、ストーリーには意味が必要なのです。でも、具体的にはどういうことか、よくわからない時もあるでしょう。書き手は創作に没頭していますから、客観的になって意味を探すのが難しいことが多いのです。そもそも、そのストーリーを書いているという事実こそが、自分にとって意味があることの証でしょう。

ストーリー全体に意味があるか、あるいは、その意味に対してストーリーの要素が貢献しているかどうかは、ストーリーの中の変化のアークを見るとわかります。

意味のある出来事は主人公か、主人公の周囲を変化させます。ストーリーの中では多くのことが起きますが、それらが重要であり、後の変化につながらなければ、ただの「がやがやわやわや、すさまじいばかり。何のとりとめもありはせぬ」〔シェイクスピア作『マクベス』のセリフ〕となってしまいます。

物語の最初と最後を比べて、次の問いについて考えてみて下さい。

- 最初と最後では、何が異なっているか？
- どのキャラクターの考え方が変わるか？
- そのキャラクターたちの変化はどのように行動に表れるか？
- 彼らの実際の行動は、周囲をどう変化させるか？

●彼らは身体的に、または物理的に、どのように変化するか？
●彼らの周囲は物理的に、どのように変化するか？

答えを考える時は、表面的な水準には留まらず、さまざまな描写の奥にあるものを見て下さい。たとえば「キャラクターたちが大きな戦いを終え、命を落とした者もたくさんいる」という流れ。浅い見方をすれば、それは変化だと言えるでしょう。ですが、その戦いが、生き残ったキャラクターたちの目的あるいは目的に対する距離感を変えなければ、何も変化していないも同然です。

変化を遂げてストーリーを終えることは、シリーズものでは特に難しいでしょう。ストーリーごとに主人公と敵対者の対峙を盛り上げる一方で、シリーズが完結するまで軋轢を維持しなくてはならないからです。しかも、その軋轢をどんどん激化させる必要に迫られます。それができていないストーリーは、シリーズの中で無意味なものになってしまいます。

5. キャラクターの動機から、現実味のある因果関係が生まれる

特に、プロットでぐいぐい読ませるタイプのストーリーでは、アクションを書くのに熱中するあまり、それに対するキャラクターの動機が疎かになりがちです。キャラクターにしっかりとした動機がなければ、プロットもしっかりとは組み立てられません。うまくいかないのです。

戦場に出るキャラクターたちは、「戦争はドラマチックで面白い」という理由では動きません。無謀な戦いに飛び込む理由も、「無謀なヒーローはすごいから」ではありません。恋に落ちるのも「二人とも素敵だから、当然、好きになるでしょう?」という書き手の思惑だけでは無理なのです。このことは、キャラクターが知的で経験豊富であればあるほど重要です。

「クライマックスの瞬間」が終盤での誘導灯だとすれば、その光を求めてキャラクターが進むために、動機が必要です。どのシーンを書く時も、動機は何度も確認しましょう。キャラクターが何らかの決断をして行動をする時は、彼らの意思表明（動機）に沿っているでしょうか?　プロットにとって都合よく、ちょっといい感じの「何か」を入れただけになっていませんか?

書き手にとって第一の（そして、たぶん唯一の）仕事はストーリーに仕えること。キャラクターの動機に意味を与え、それに従って正直に、着実に、終始一貫、書き続けることです。

よいストーリーを創作するのが難しいのは、それが不可能だからではありません。価値のあるビジョンを支える要素の取捨選択は、理解と洞察、明晰な思考と修練を要する、高度な技術だからです。

そうしてフィクションの書き手は洞察を得て、凡庸なレベルを超越します。あなたにも、ストーリーテリングについての理解を広げ、重みのあるストーリーを紡ぐ力があるのです。

「重みがある」フィクションの書き方

意味のある作品を書きたいと思う気持ちは誰にでもあるでしょう。権威ある賞を獲らなくても、ディケンズやドストエフスキーと並ぶ文豪にならなくても、自分が書いたものが、平凡なストーリーを超えてほしいと願うはずです。人々の心に触れ、何かを考えさせ、好奇心をそそり、物語の世界を信じさせたい。その願いを叶えるための原料は、いつの時も変わりません。それは、真実に迫る形で真実を描くことと、力強いテーマです。

そして、さらに追加すべきものがあります。

迫真のリアリティでテーマを描いても、作品の重みが生まれない場合はどうでしょう。テーマが豊かなのに、「重み」に欠けるストーリーは、ただ……どこか、締まりがありません。潜在的な可能性を活かしきれていない感じがします。

意味と重みを生み出すために、最も大切な五つの要因を見てみましょう。

要因その1　サブテキスト

サブテキストの問題は大きいです。サブテキストがないと深みが出ず、重みも生まれません。第6章で、サブテキストは魔法の基だと述べました。ストーリーの中で「語られていない」ものを感じさせるということ。それは「水面下にはもっとたくさんのものがあるだろう」と感じさせることでもあります。空白を埋めるためのヒントと問いを絶妙なところで確実に示し、読者を誘導したいものです。深みを作り出し、その深みを利用しましょう。

▼例

サブテキストの優れた例：リドリー・スコット監督の『グラディエーター』（二〇〇〇年）はサブテキストが素晴らしい。幼少時から互いを知る人物同士に巧みにやりとりをさせ、冒頭からふんだんにバックストーリーを匂わせている。主人公マキシマスとローマ皇帝マルクスやルシッラ、コモドゥスとの関係や、皇帝とその子どもたちとの関係の不穏さも即座に感じ取れる。このサブテキストの効果は物語全体を通して表れる。最も際立つ疑問の数々も、必要最小限の説明と簡潔な情報によって答えられている。

サブテキストの残念な例：ケヴィン・レイノルズ監督の『トリスタンとイゾルデ』（二〇〇六年）の物語は、キャラクター同士の関係や動機の面でサブテキストの可能性にあふれている。主人公トリスタンの「ゴースト」（動乱の中でマーク王に助け出されるが、王は敵に片手を切り落とされてしまう。動乱によって孤児となったトリスタンはマーク王に育てられる）も活かせそうだが、彼の本心はあまり見えない。物語の中心はイゾルデへの想いとマーク王に対する忠誠心。二つの間で板挟みになるトリスタンの葛藤には、深みと重さが出せていない。

要因その2　時間経過

短い時間軸でパワフルなストーリーが語れないわけではありませんが、一般的な法則として、プロットを展開する時間軸が長ければ長いほど、キャラクターは大きく発展できます。人が短い期間で変化する場合もありますが、やはり、いくつものきっかけを経て変わっていくことが多いため、時間の幅は必要です。キャラクターが刑務所で過ごす期間をたった一、二週間にするか、一年間にするかで、伝わってくる重さは変わるでしょう。

▼例

時間経過の優れた例：『グラディエーター』の主人公マキシマスの旅はかなり長い期間を経ている。ゲルマニアでの戦争から荒廃した故郷スペインに戻り、さらに奴隷となってズッカバールという町へ連行され、ローマで剣闘士にさせられるまでを追っている。時間の流れが巧みに描かれているため、キャラクターの苦しみが束の間のものではないことを伝えながらも、ストーリーのペースは落ちない。彼が耐え忍んできたことの重要性を強く感じさせている。

時間経過の残念な例：『トリスタンとイゾルデ』では、プロローグからストーリー本体の間で十年近くが経過していること以外は時間経過がまったく明らかにされない。トリスタンの怪我は一夜にして治ってしまったかに見える。彼がコーンウォールからアイルランドに漂着し、再びコーンウォールに戻る経緯は、ごく短い場面がたくさん連なり過ぎていて、イゾルデがイングランドに来てからの時間経過が把握しづらい。そのために物語は慌ただしい印象であり、重みを感じさせるはずのキャラクターのリアクションも軽く見えてしまう。

要因その3　複数のセッティング

パワフルで深い意味を感じさせるストーリーの多くは、主に一つのセッティングで展開します（『大脱走』も、その一例）。しかし、複数の場で展開するプロットがキャラクターにしっかりと影響を与えるなら、深みと重みのあるストーリーが生まれる可能性が高まります。

▼例

複数のセッティングの優れた例：『グラディエーター』は歴史を見事に描き、ローマ帝国のほぼ全体を輪切りするかのように見せている。マキシマスが暮らす世界や彼が対峙する皇帝の権力から、影響を受ける人口の規模まで観客は理解できる。このような舞台設定の見せ方は時間経過の表現と合わさって、キャラクターがどれほどの旅路をたどり、多くを目にして、目的のために何を耐え忍んできたかを感じさせる。幅広いセッティングを見せているにも関わらず、ストーリーに無関係のものは何も含まれていないことに注目。特定の時代を表現することだけを目的にはせず、プロットにとって必要なものがこまやかに選ばれている。

複数のセッティングの残念な例：『トリスタンとイゾルデ』はイングランドとアイルランドの二つの国を見せている。だが、両国とも、非常に小さなセッティングに縮小されているかのよう。イングランドの領主たちは頻繁にコーンウォールに集まるために、気軽に移動できる小さな国のような印象を与えてしまう。イングランド統一の重大性が伝わってこないのも、それが国家というより小さな村の寄せ集めのように見えているため。

要因その4　サブプロット

大作とは大きな作品です。それを作り上げるには、一つでなく複数の何かが必要です。キャラクターが直面する主な対立関係は、他の問題にも支えられ、コントラストを出すことになるでしょう。ちょうど、私たちが実生活で抱える大きな悩みが他の小さな困り事を引き起こすのと同じです。ストーリーを一つの話題に縮小すると文脈も排除され、サブテキストが生まれづらくなってしまいます。テーマの面で一貫性があるサブプロット群があれば、キャラクターの生活のいろいろな側面や苦労を提示することができます。

▼例

サブプロットの優れた例：『グラディエーター』は焦点が絞り込まれたストーリーだが、多くの層がある。重要な対立関係は「ローマを救う」ことをめぐって展開するが、プロットの原動力は主人公マキシマスの個人的な復讐にある。マキシマスとルシッラ、マキシマスとプロキシモ、マキシマスと他の剣闘士たち、ルシッラと皇帝コモドゥス、さらには皇帝コモドゥスと甥ルキウス――すべての人間関係が濃厚なコントラストや彩りを生んでいる。本作がただの復讐の物語に終わっていないのも、こうした人間関係の層があってこそ。

サブプロットの残念な例：『トリスタンとイゾルデ』は、トリスタンとほぼすべての登場人物との間に非常に豊かなサブプロットが生まれそう。だが、それらを活かさず、彼とイゾルデとの恋愛関係だけに焦点が当たっている。トリスタンとマーク王の関係は特に重要だが、残念なことに描写不足。短い会話を追加するだけでも、互いの動機が表現でき、ストーリーはさらによくなったはず。

要因その5　シークエル・シーンでの感情と思考

どのシーンもシーン（アクション）とシークエル（リアクション）の半々でできています。シーンのアクションはプロットを動かします。一方、シークエルでのリアクションは、必ずと言っていいほどキャラクターの展開とテーマの深みが表れるところです。これは、けっして疎かにはできません。ストーリーで重要な出来事が起きるたびに、キャラクターのリアクションを思考と感情の両面で描いておきましょう。出来事に対してキャラクターがどう感じているかが伝わらなければ、読者は何を考えるべきかに迷ってしまい、自分で結論が出せなくなります。

▼例

シークエル・シーンの優れた例：『グラディエーター』がアカデミー賞やゴールデングローブ賞を獲得したのはアクションシーンが派手だったからではない。高い評価を得た理由は、感情の推移を鮮やかに描くシークエル・シーンとアクションとの完璧なバランスにある。ミッドポイントでマキシマスに皇帝コモドゥスとのいきさつが明かされた後、ルシッラが密かに牢屋を訪れるシーンでは、マキシマスが怒りや不満、決意などのリアクションを見せる。また、ルシッラに対しても、裏切られたと感じていることを表現。このようなシーンがなければ、彼の心情はただ推測するしかなくなる。

シークエル・シーンの残念な例：『トリスタンとイゾルデ』のシークエル・シーンはほぼ全編にわたって残念。トリスタンも他の登場人物たちも、自分の複雑な心境を話し合わない。このストーリーの中心は、育ててくれた王に対するトリスタンの葛藤。だが、彼の心情がダイレクトに見せられることはない。優れたサブテキストは、目に見える部分をしっかり描いてこそ味わえる。

以上の五つの要因を念頭に置いて下さい。どんな題材を描く場合も、プロットとテーマにまとまりと共鳴を生むことができるでしょう。

テーマを使ってまとまりと共鳴を生む

フィクションを巧みに紡ぐには、多くのものをすり合わせ、つなげなくてはなりません。成功と失敗を分ける要因は一つか二つしかないと言えば嘘になります。でも、大事なことを二つだけ挙げるとしたら、「まとまり」と「共鳴」だと私は思います。

構成やキャラクター、テーマといった大きな要素を意識し過ぎると、そもそも、なぜそれらが大切なのかを忘れてしまうこともあります。本当に大切な二つのもの——頑張って書いたものが、ただの作品の域を超え、飛躍的に高いレベルへ上昇するためのもの——は、まとまりと共鳴です。

まとまりとは何か

まとまりとは論理性。まとまりとは秩序。不要なものを切り捨てて、必要なものを見出すこと。ストーリーに出てくるすべてのものに理由がある時に生まれるもの。ストーリーのパーツはみな、全体のまとまりの中に属しています。すべてが一体となるかのようにして、同じ目的へ向かうのです。

まとまりのある作品を書く人は、明確なビジョンを持ち、最善のものを努力して見つけているでしょう。自分の「お気に入り」のものでも、ストーリーに合わないものは排除します。

最近、私は「好きな映画は？」と尋ねられ、ざっと題名を挙げました。『大脱走』『グラディエーター』『ブラックホーク・ダウン』『マスター・アンド・コマンダー』『勇気ある追跡』（一九六九年）『ウォーリアー』『ボーン・アイデンティティー』（二〇〇二年）『雨に唄えば』（一九五二年）『ウォルター少年と、夏の休日』『素晴らしき哉、人生！』。私がすぐに気づいたのは、どの映画のプロットにも、はっきりした焦点とまとまりがあるということです。あまりにうまくまとまっていて、それが当たり前であるかのようにさえ感じるほど。実際に、私はそう感じます。でも、『大脱走』はうまくまとまっているから好きなの」とは言いません。映画を観ながら研究し、自分がなぜ感動するかを探っている時には、プロットとペース、キャラクター、テーマなどの技術面を考えます。

しかし、忘れてはならないのは、プロットもペースも、キャラクターもテーマも「まとまり」の上に成り立つということです。それぞれを作って器用に書くことはできるでしょう。でも、全体のまとまりを意識しなければ、ストーリーはぐらつき、ばらばらのままです。

まとまりがなくても、せめてそれぞれの要素だけでもうまく揃える方がマシと言えばマシです。でも、素晴らしい要素を揃え、素晴らしい全体にまとめ上げる方が、どれほどいいでしょう。

「まとまり」とはストーリーのあらゆるピースが一つに統合されること。そのためには、まずプロット構成から始めるのが一番です。構成にまとまりがなければ、あなたのビジョンを表現する基礎もできません。

まとまりとは結局、ビジョンだと言えます。まとまりのある構成を組み立てるには、全体をどう見せたいかを自分で知ることが必要だからです。適当に考えた出来事を型にはめるだけでは、よい構成にはなりません。

プロットを組み立てる時に覚えておきたい点を挙げます。

1．構成はストーリーの背骨である

構成がなければストーリーになりません。せいぜい、ただ物事が起きるのを書き連ねるだけで終わります。物事が起きてもプロットが進展しないケースは非常に多いです。ただのアクションの羅列ではなく、ちゃんとストーリーになっているかは、背骨である構成を見て確認しましょう。

2．構成上、重要なところにある出来事が「何についてのストーリーか」を示す

少し学べば、誰でもプロットが構成できます。ただし、構成が巧みにできている作品は、主要な構成のポイントが全部はっきりしており（私は自分のウェブサイトの中の「Story Structure Database」ページで多くの例を挙げています）、プロットポイント間に共通の要素が見てとれます。ただの思いつきで挿入されたものはなく、すべてが関連し合っています。たとえば、マーティン・スコセッシ監督の『アビエイター』（二〇〇四年）はいろいろなものが詰まった大がかりなストーリーですが、主人公である実在の実業

家ハワード・ヒューズの航空業への執念を軸として、揺るぎない構成を立てています。

3．構成上、重要なところにある出来事を線でつなぐようにし、変化を促す

プロットが進展できているかを知る唯一の方法は、プロットが変化しているかを見ることです。出来事によってキャラクターが行動せざるを得なくなり、リアクションをし、また行動せざるを得なくなる。そうして、常にストーリーの風景を変化させるのです。そのようになっていなければ、プロットは進展していませんし、構成もうまくできていません。

4．構成の軌道を保つ三つのポイントは「インサイティング・イベント」と「ミッドポイント」と「クライマックスの瞬間」

もちろん、これらが他の要素よりも重要だというわけではありません。ですが、構成のまとまり（すべてのパーツが同じストーリーを紡いでいるか）を確認する時に、まず見るところはインサイティング・イベント（第一幕の真ん中あたり）とミッドポイント（第二幕の真ん中あたり）とクライマックスの瞬間（第三幕の終わり）の三ヶ所です。

特に、インサイティング・イベントと「クライマックスの瞬間」が対になっているか見てみましょう。インサイティング・イベントで問いを示し、クライマックスの瞬間で答えを出すのです。それらの中間

にあるミッドポイントは「真実の瞬間」。問いについてキャラクターが前半で理解したこと（プロットとテーマの両方）から、後半で見出していくことへとストーリーを転換させます。

突きつめると、優れた構成とは優れた伏線だと言えます。何かを仕掛けて回収するのです。結末は始まりの中に、すでにあるはず。そうでなければ、そのストーリーは「まとまり」がないと言えるでしょう。

共鳴とは何か

まとまりがあれば、そのストーリーは他の大多数よりよくなります。でも、それは魔法を半分使ったに過ぎません。あと半分は、共鳴です。

共鳴とは意味です。私の読者の一人、エリック・コペンハーゲンは「共鳴とは神話的な価値だ」という言葉を寄せてくれました。ただの面白い話でも共鳴があれば、普遍的なものになるということです。

あなたがストーリーに引き込まれた時を思い出してみて下さい。その時に得た感覚が共鳴です。読者として、また、書き手として、私たちはみなその感覚を求めます。共鳴があれば、ストーリーは単なる娯楽から人生の体験へと上昇するのです。

共鳴がなくても楽しめるかもしれません。でも、すぐに忘れられてしまいます。それはどんなジャンルにも言えることです。「壮大な」歴史ものも、「ちょっとした」面白い小話も、真実を映し出さないものは読者にとって、どうでもよい物語でしょう。

まとまりと共鳴は互いを築き合い、連携して進みます。まとまりのないストーリーには共鳴も生まれません。まとまりは共鳴を乗せる船のようなもの。船の作りが甘ければ、中は浸水しますし、逆もまたしかりです。船の造りが完璧でも、共鳴が舵を取らなければ、海の上をただ漂流するだけです。

共鳴がつかみづらいのは、少し主観的なところがあるからです。万人が共鳴する普遍的な真実がある一方、限られた人の心だけに響くストーリーやシーンも存在します。でも、共鳴がまったくないストーリーを見抜くのは極めて簡単。魂を感じさせないものが、それに当たります。

情熱が感じられないストーリーもあります。売れることだけが目的か、ただ構成を型どおりに作っただけ（たぶん、その両方でしょう）。イマジネーションや独創性、共感や勇気も感じられません。

一方、そうした長所が揃っているのに、ただ表現が拙いために共鳴できないストーリーもあるでしょう。まとまりも共鳴も、すべてが一つのビジョンを支えるように作られた時だけ発生します。

作品が共鳴を生むかを確かめるための入り口があります。本書をお読み頂いたなら、すでにおわかりでしょう。共鳴への入り口とは、テーマです。

構成が拙い作品から、素晴らしいテーマが浮かび上がる時もあります。それは書き手自身の気づきが深く、語りの技術が卓越している場合です。ただし、初めからそのようにできる人はほとんどいません。でも、テーマから共鳴を作り出す方法なら、意識して、丹念に実行すれば身につきます。

知的な面で受け手を引き付けるものが構成だとしたら、感情の面でそれをおこなうのが共鳴です。プロットとテーマを意図的に作り、読者にまとまった感情を呼び起こせた時に、共鳴が起こります。書き手が面白い考えを提示する時も、読者はそれを理屈で考える前に、まず「その通りだ。言い当てている。本当だ」と感覚的に受け取っているはずです。

ビジョンがまとまりを作るなら、共鳴を生むのは正直さです。プロットをしっかり作ったら、そのプロットの中にある正直な声を、あなたの心の中から掘り起こして書いて下さい。

本書の締めくくりに、ぜひ心に留めておいて頂きたいポイントを挙げておきます。

1. テーマとは、「本当は」何についてのストーリーかを示すものである

共鳴を呼ぶストーリーは、テーマを伝えるためにプロットを使います。プロットを飾るためにテーマを使うのではありません。「テーマが外側に表れたもの」がプロットなのだと考えましょう。普遍的な真実をキャラクターに問わせるために、プロットで具体的な舞台を与えるのです。テーマとプロットは互いを問い合うようにして対話を重ね、必ず全体を通じてつながっていきます。プロットはいろいろな面でテーマを暗喩的に表現し、テーマはプロットの解釈となるのです。

2. テーマとは、プロットに力を与える重要な問いと答えである

第2章に挙げた、テーマを「中心となる問い」として書く方法を試して下さい（例：戦争は何を犠牲にするか？　過去を乗り越えるにはどうすればよいか？　理想主義は危険か？）。一つの問いでは表しきれな

いほど複雑なストーリーもあるかもしれません。でも、「中心となる問い」がはっきりすれば、プロットにまとまりを与える要素を選ぶ時に役立ちます。

3. テーマはプロットとキャラクターを統合する

作家はよく「プロット主導」か「キャラクター主導」かを議論します。でも、本当に共鳴できるフィクションが「それか、これか」の二者択一であることはめったにありません。プロットとキャラクターをつなぐ橋として、テーマが存在するからです。テーマをめぐって内面で起きることはキャラクターアークに表れ、外的に起きることはキャラクターのアクションに表れます。

4. テーマは教条的ではない

書き手が答えをすべて知っていると思い込んでいるうちは、本当に共鳴できるストーリーは書けません。正直になれるかどうかが課題となります。ストーリーの「中心となる問い」を定めたら、考え得る限りの答えを全部言語化しようとする姿勢が必要です。すべての答えに同意せよというわけではありません。反対意見もしっかり描き出すべきだ、という意味です。残酷なまでの正直さで、その問いをあらゆる面から眺めて下さい。

よいフィクションは答えを主張しません。問いだけを投げかけます。

ほとんどのストーリーは、主人公が最後におこなう選択を通して、何らかの解決を示します。その選択に真実味があり、読者に何かを考えさせるなら、読後に新たな共感が生まれるはずです。

まとまりと共鳴があるフィクションとは、テーマがあるフィクションです。プロットやキャラクターについて考えながら、また、推敲しながら、それを思い出して下さい。まとまりと共鳴が生まれたら、それは本当の意味で奇跡的な作品が書けたということ。本当の意味で、テーマがある作品が描けたということです。

付録

五つの主要なキャラクターアーク

「人が語る話は二つか三つしかないけれど
まるで前代未聞であるかのように
同じ話を繰り返す」
——ウィラ・キャザー

「人間の物語」の分類方法はたくさんありますが、プロットとテーマを融合させた上で分けるには、キャラクターアークに注目するのが一番です。

基本的に、「真実」志向のヒーロータイプの主人公は「ポジティブな変化のアーク」と「フラットなアーク」の二種類に分類できます。主人公が「嘘」にとらわれる「ネガティブな変化のアーク」は「失望のアーク」と「転落のアーク」、「腐敗のアーク」の三種類に分かれます。

第2章で述べたように、アークについての詳細は既刊『キャラクターからつくる物語創作再入門』と、その実践版のワークブック『Creating Character Arcs Workbook』に掲載してあります。本書では付録として、すでにご存じの方には再確認のために、また、初めての方には概要を知って頂けるよう、アークの種類別に構成をまとめました。

すべてのアークに共通の六つの材料

五つのアークには共通点があります。まず、基本的な構成（実際にアークを分析すると、三つの「幕」と十個の「ビート」に分かれることがわかります）。また、どのアークにも、共通して六つの基本的な材料があり、書き手の選択によって微調整できます。その基本的な材料とは、次の六つです。

1．テーマが訴える「真実」

あなたのストーリーの「真実」は、テーマが訴える原理です。それは世界について、普遍的な何かを唱えること。ほとんどの場合（失望のアークは例外かもしれませんが）、「真実」はポジティブな価値観です（時には痛みを伴うとしても）。「真実」はキャラクターに実り多い交流をもたらし、無益な交流を減らす助けをします。

2. キャラクターが信じ込んでいる「嘘」

「嘘」とは世界についての誤解であり、「真実」とは対照的な価値観です。ストーリーの始めでは、「真実」の理解や受容を妨げる「嘘」を信じ込んでいるキャラクターがいるはずです（主人公か、「フラットなアーク」では脇役）。キャラクターアークとストーリーは全体を通して、キャラクター（たち）がいかに「嘘」から「真実」へと変容するかを描きます。

3. & 4. キャラクターが求めるもの（WANT）対キャラクターにとって本当に必要なもの（NEED）

テーマで訴えるべき「真実」対「嘘」の衝突は内面の矛盾です。それは「キャラクターが求めるもの（WANT）」対「キャラクターにとって本当に必要なもの（NEED）」の対立となり、プロットで具体的に表れます。NEEDも具体的な形で表現できますが、結局、それは「真実」に他なりません。WANTが抽象的なものなら（例：尊敬されること）、それを具体的な形で表現し、プロットの目的地にします（例：昇進や大卒の資格など）。キャラクターがWANTやNEEDにどれほど近づくか、あるいは遠のくかでキャラクターアークとの関係は変わります。

5.「ゴースト」

「ゴースト」（「傷」とも呼ばれます）は、主人公のバックストーリーに潜むもので、動機に影響を及ぼします。主人公はゴーストのために「嘘」を信じるようになり、「真実」が見えなくなっています。名前が示す通り（名付け親はハリウッドで活躍するスクリプトコンサルタントのジョン・トゥルービーです）、「ゴースト」はキャラクターに憑りついているもので、振り払えない心の傷。トラウマとなる出来事が多いですが、ポジティブに見えるものでも（例：主人公は親にとって自慢の子どもだった）視野を狭める「嘘」を信じる原因になり得ます。

6.「普通の世界」

「普通の世界」は第一幕の初期の舞台設定。メインコンフリクトが起きる前のキャラクターの生活が描かれます。アークの種類によって、「普通の世界」はストーリーの「真実」と「嘘」のどちらかを象徴的に表します。この舞台設定は、第二幕に入ると「冒険の世界」へと変化するでしょう。そこでメインコンフリクトが展開します。あるいは、舞台が切り替わったことを暗喩として表現する場合もあります。舞台そのものは同じ場所でも、対立が起きることで主人公の周囲が変化します（例：友好的な雰囲気が敵意のある雰囲気に変わる）。

ヒーロー的な二つのアーク

「ポジティブな変化のアーク」と「フラットなアーク」は「ハッピー」で「ヒーロー的」です。主人公は物語の中で「真実」を学ぶか、すでに「真実」を知っており、それを使って作品世界に肯定的な影響を与えます。

1．ポジティブな変化のアーク

「嘘」を信じる＞「嘘」を払拭する＞「新しい真実」へと解放される

▼第一幕（1％—25％）

1％：フック（つかみ）――「嘘」を信じる

主人公は「嘘」を信じています。その「嘘」の考え方や価値観は、「普通の世界」で必要とされているか、あるいはうまく機能しています。

12％：インサイティング・イベント（契機事件）――もはや「嘘」が通用しないことの最初の気づき

主人公は「冒険への誘い」の局面に遭遇。物語のメインコンフリクトと出会います。これまでのように「嘘」がうまく働かないことが、かすかな気づきとして表れます。

25％：プロットポイント1――「嘘」が通用しなくなる

第一幕の「嘘」だらけの「古いやり方」は、メインコンフリクトには通用しません。主人公は選択に迫られます。まだ「嘘」の無力さを認識してはいませんが、「後戻りできない扉」をくぐります。もう「普通の世界」には戻れません。主人公はメインコンフリクトが展開する「冒険の世界」の第二幕へ入ります。

▼第二幕（25％―75％）

37％：ピンチポイント1――「嘘」を使って罰せられる

「嘘」に従った主人公は「罰」を受けます。「普通の世界」にいた頃は、「嘘」を使えばWANTが得られると思っていました。でも、第二幕でそうはいきません。第二幕前半での主人公はずっとこの調子で、「嘘」に基づく古いやり方で目的地を目指しては「罰」を受け続けます。

50%：ミッドポイント──「真実」に触れるが、まだ「嘘」を拒まない

主人公は「真実の瞬間」に遭遇。テーマの「真実」を目の当たりにします（プロットで起きている対立や衝突についての気づきと重なっていることが多いです）。初めて「真実」の力を意識しますが、まだ「真実」と「嘘」が相容れないことに気づきません。その両方を第二幕後半で使おうとします。

62%：ピンチポイント2──「真実」を使って報酬を得る

主人公は「真実」を行使して「報酬（よい結果）」を得ます。ミッドポイントでの学びを活かし、「真実」に従う行動で敵対勢力と戦い、自らのWANTを求めます。プロットの最終的な目的地に近づけば近づくほど、成功体験によって「報酬」を得ていきます。

▼第三幕（75%−100%）

75%：プロットポイント2──「嘘」を拒絶する

「嘘」を完全に払拭できない主人公は、「どん底」に陥ります。そして、ついに、「嘘」がもたらす代償に直面。主人公は降参し、「嘘」を振り払います。「真実」を完全に受け入れたのも同然です。

88%：クライマックス―「真実」を受け入れる

WANTをめぐって主人公は敵対勢力と最終決戦。その直前あるいは戦いの最中で「真実」を意識し、はっきりと受け入れます。

98%：クライマックスの瞬間―NEEDを得るために「真実」を使う

主人公はNEEDを得るために、「真実」から学んだことを行使します。WANTを獲得する場合もありますが、自分のためにはそれを放棄すべきだと気づきます。そして、敵対勢力との対立をきっぱりと終わらせます。

100%：解決―「真実」の力があふれる新しい「普通の世界」へ

主人公は新しい「普通の世界」に入るか、元の「普通の世界」へ帰還。「真実」を心の糧にして生きるようになります。

2．フラットなアーク

「真実」を信じる>「真実」を維持する>「真実」を使って世界の「嘘」を払拭する

▼第一幕（1％―25％）

1％：フック―「嘘」だらけの世界で「真実」を信じる

主人公が信じる「真実」は、「普通の世界」では拒絶されています。「普通の世界」とその住人たちの大部分は「嘘」から抜け出せていません。

12％：インサイティング・イベント―「真実」を使って「嘘」に対抗する

主人公はメインコンフリクトに遭遇し、「冒険への誘い」に当たる出来事に出会います。主人公の「真実」に対して挑戦状が突きつけられます。ここでは、主人公が周囲の「嘘」に対して「真実」のアクションをする気になるかどうかが問題です。

25％：プロットポイント1―世界が「嘘」を押しつけようとする

敵対勢力が主人公か他のキャラクターに「嘘」を押しつけようとし、主人公は選択に迫られます。主人公は「真実」の放棄を拒み、「後戻りできない扉」をくぐることに。そして第一幕の「普通の世界」を離れ、メインコンフリクトが展開する「冒険の世界」の第二幕に入ります。

▼第二幕（25％―75％）

37%：ピンチポイント1─「真実」が「嘘」を打倒できるかが問題

主人公は敵対勢力の「嘘」に対して「真実」で対抗。本当に「嘘」を打倒できる確信がなく、自らの「真実」の正当性についても自問します。

50%：ミッドポイント─「真実」の力を世界に示す

主人公は「真実」に従い続け、周囲に「真実の瞬間」をもたらします。ここで「真実」の全貌や純粋さを初めて披露。少なくとも、一人の主要な脇役が影響を受けます（その影響はポジティブな場合もあれば、ネガティブな場合もあります）。

62%：ピンチポイント2─「嘘」を信じるキャラクターが反撃する

主人公は前のミッドポイントで「真実」をパワフルに示しました。ここでは「嘘」を信じる他のキャラクターたちが「嘘」を強化し、主人公と「真実」に激しく反撃します。

▼第三幕（75%－100%）

75%：プロットポイント2─外見上は「嘘」が勝利する

主人公は敵対勢力の「嘘」をもとにした作戦に大打撃を受け、敗北したかに見えます。「嘘」を払拭できない脇役たちに囲まれ、主人公は「どん底」へ。「真実」に伴う代償を考えざるを得ません。圧倒的に厳しい情勢の中、主人公は再び「真実」を胸に抱きます。

88％：クライマックス――「真実」と「嘘」との最終決戦

主人公はWANTを勝ち取るべく、敵対勢力と最終決戦。「真実」をはっきりと受け入れ、行動で示します。

98％：クライマックスの瞬間――「真実」が「嘘」を打倒する

主人公は「真実」に従って行動し、敵対勢力を打倒（ポジティブに変化した脇役の援助を得る場合がよくあります）。自らが望むWANTと、真に必要としていたNEEDを獲得します（フラットなアークの主人公は常に「真実」を理解しているため、WANTとNEEDは同じ場合が多いです）。

100％：解決――「真実」の力があふれる新しい「普通の世界」へ

自らの行動が功を奏し、主人公は「真実」の力があふれる新しい「普通の世界」に入ります。

ネガティブな変化のアーク（三種類）

ストーリーは変化を描くものです。希望を持つ人々や、英雄的な人々によるポジティブな変化の物語がある一方、人間の心の闇や無知が招くネガティブな変化の物語もあります。三種類のネガティブな変化のアーク（失望、転落、腐敗）を見てみましょう。

1．失望のアーク

「嘘」を信じる＞「嘘」を克服する＞悲劇的な「真実」を知る

▼第一幕（1％―25％）

1％：フック―心地よい「普通の世界」で「嘘」に従う

主人公は現在の「普通の世界」では常識とされているような「嘘」を信じています。その世界は居心地がよく、のほほんとしていられる場であることが多いでしょう。

12％：インサイティング・イベント―「嘘」がまやかしであることの最初のきっかけが生じる

主人公は「冒険への誘い」で初めてメインコンフリクトに遭遇。また、「嘘」が以前のようにはうまく機能しないことについて、かすかな兆しを感じます。

25%：プロットポイント1──「冒険の世界」の厳しい真実を目の当たりにする

第一幕での心地よい「嘘」だらけの「古いやり方」はメインコンフリクトによる危機には役立たず、主人公は選択を迫られます。そして、「後戻りできない扉」をくぐり、メインコンフリクトが展開する「冒険の世界」の第二幕へ。主人公は厳しくて新しい「真実」を目の当たりにします。

▼第二幕（25%−75%）

37%：ピンチポイント1──「嘘」を使い、罰を受ける

主人公は「嘘」に従ったために「罰」を受けます。「普通の世界」にいた頃は、「嘘」を使ってWANTを手に入れることができました。でも、「冒険の世界」では通用しません。第一幕の前半で、主人公は古い「嘘」の考え方に従って目的を目指し、失敗するたびに「罰」を受け、新しい仕組みを学びます。

50%：ミッドポイント──真実を突きつけられるが拒絶する

主人公は「真実の瞬間」に遭遇し、テーマが示す「真実」と向き合います（プロット上の対立関係についての気づきと同時に起きる場合が多いです）。主人公は「真実」とその力を初めて意識しますが、その「真実」の暗さにぞっとします。もはや「真実」を否定できませんが、それを完全に受け入れる気になれず、そうかと言って古い「嘘」を手放す気にもなれません。

62％：ピンチポイント2―古い「嘘」への不満と新しい「真実」への幻滅

主人公は「嘘」が通用しない局面に次々と遭遇。「嘘」に不満を募らせ、悲惨な「真実」を受け入れ始めます。「真実」に従いWANTを求め、「報酬」も得始めますが、新しい世界の価値観には心の底からうんざりします。

▼第三幕（75％－100％）

75％：プロットポイント2―慰めの「嘘」など存在しないことを受け入れる

「どん底」を体験した主人公は、暗い「真実」を認めざるを得ません。この新しい「真実」だけでなく、以前から信じていた慰めの「嘘」などまったく存在しないことを認めなくてはなりません。

88％：クライマックス―最終決戦で、暗くて新しい「真実」に従う

主人公は自分のWANTをめぐって敵対勢力と対決。その直前または戦いの最中で、新しいダークな「真実」を意識的に受け入れ、行使します。

98％：クライマックスの瞬間―「真実」の全貌を知る

主人公はNEEDを得るために、「真実」に従います。WANTを手に入れる場合もありますが（もはや価値が感じられず）、自分のために放棄すべきだと気づきます。そして、敵対勢力との対立をきっぱりと終わらせます。

100%：解決—新しい真実に幻滅する

主人公は新しい「普通の世界」に入るか、自分が知り得た「真実」にうんざりしながら元の「普通の世界」に戻ります。

2. 転落のアーク

「嘘」を信じる∨「嘘」に固執する∨新しい「真実」を拒絶する∨さらにひどい「嘘」を信じる

▼第一幕（1%—25%）

1%：フック—「嘘」を信じる

主人公は「普通の世界」で常識とされているような（しばしば、破壊的な）「嘘」を信じています。

12%：インサイティング・イベント—「嘘」が役に立たず、得にもならないことについての

最初のきっかけが生じる

主人公が「冒険への誘い」でメインコンフリクトに遭遇すると、最初のかすかなきっかけが生じます。もはや「嘘」は主人公を守りもしないし、得にもなりません。

25%：プロットポイント1―効果のない「嘘」を捨てて「真実」に向かう

主人公は第一幕のメインコンフリクトで危機に遭遇し、「嘘」だらけの「古いやり方」ではだめだと感じます。そして、古い「嘘」と新しい「真実」との間で最初の選択をします。「後戻りできない扉」をくぐって「真実」の方へ。第一幕の「普通の世界」から、メインコンフリクトが繰り広げられる第二幕の「冒険の世界」へと進みます。

▼第二幕（25%―75%）

37%：ピンチポイント1―中途半端に「真実」を試み、中途半端な結果に終わる

主人公はWANTを得る手段として「真実」に従いますが、理解も態度も中途半端。古い「嘘」はうまくいかず、中途半端に試みた「真実」も満足な成果を出さず、宙ぶらりんの状態に陥ります。

50%：ミッドポイント―「真実」をちらりと見て拒絶し、さらにひどい「嘘」を選ぶ

主人公は「真実の瞬間」に遭遇。テーマの「真実」に直面します（プロット上の対立関係についての気づきが同時に起きる場合もよくあります）。主人公は「真実」の真価やチャンスを意識する反面、「真実」に伴う代償も理解します。その代償を払いたくない主人公は「真実」を拒み、前よりも悪い「嘘」を受け入れる選択をします。

62％：ピンチポイント2―「嘘」は効果的だが破壊的である

主人公は好き放題に「嘘」を使います。WANTに近づくには効果的だと感じています。でも、プロットが進行するにつれて、自分にも周囲にも「嘘」の災いがふりかかります。

▼第三幕（75％－100％）

75％：プロットポイント2―WANTもNEEDも獲得できない

主人公はWANTの獲得に完全に失敗して「どん底」に陥ります。この失敗は第二幕後半での「嘘」によるダメージの集大成。「目標」に達する前に、「手段」が悪い結果をもたらします。そんな「嘘」の破壊力を目の当たりにしても、主人公は改心せず、「真実」とも向き合いません。

88％：クライマックス―WANTを取り戻そうとして、最後の悪あがきをする

主人公は敵対勢力との最終決戦へ。土壇場で、主人公はWANTを取り戻そうとして「嘘」を強化します。

98％：クライマックスの瞬間―完全に崩壊する

主人公は「嘘」が足枷となり（内面の葛藤と対外的な衝突の両方で）、WANTを得ることができません（または、手に入れても自分には無意味だと気づきます）。主人公は完全に破滅します。

100％：解決―その後の余波

主人公は自らの選択が招いた結果と対峙。しぶしぶ「真実」を受け入れます。または、ただ当てもなく、結果に合わせていくしかなくなります。

3．腐敗のアーク

「真実」を知る＞「真実」を拒絶する＞「嘘」を受け入れる

▼第一幕（1％―25％）

1％：フック―「真実」を理解している

主人公は「普通の世界」で暮らしています。この世界はテーマが示す「真実」を許容、あるいは奨励しています。ですから、主人公も「真実」を理解しています。

12％：インサイティング・イベント―初めて「嘘」に誘惑される

主人公は「冒険への誘い」に遭遇。初めてメインコンフリクトに触れます。また、「嘘」は「真実」よりも役に立つという、かすかな誘惑がなされます。

25％：プロットポイント1―魅惑的な「嘘」がはびこる「冒険の世界」に入る

主人公は何らかの選択をして、安全な第一幕の「真実」中心の「普通の世界」から、魅惑的な第二幕の「嘘」中心の「冒険の世界」に引き寄せられます。危険に気づかず（あるいは「どうなるかは承知の上だ」とタカをくくり）、約束されたWANTに惹かれて「後戻りできない扉」をくぐります。

▼第二幕（25％－75％）

37％：ピンチポイント1―「真実」と「嘘」の間で引き裂かれる

主人公は古い「真実」と新しい「嘘」の間で板挟みになります。「嘘」を選べば、自分が望むWANTに近づけそうです。でも、以前からの信念や価値観からどんどん遠ざかっているのに気づき、葛藤します。

50％：ミッドポイント―「真実」を完全に拒絶はしないが、「嘘」を受け入れる

主人公は「真実の瞬間」に遭遇。「嘘」とも全面的に対峙します。「嘘」がなくてはWANTの獲得は不可能だと気づきます。まだ「真実」をはっきりと拒絶してはいませんが、完全に「嘘」を受け入れる決断をします。

62％：ピンチポイント2―「真実」の代償を払うことを拒絶する

主人公は「嘘」を使って「報酬」を得ます。ミッドポイントで何かを知り、「嘘」に従って行動し始め、WANTを求めて敵対勢力と戦います。「真実」に代償を求められ、不愉快になる主人公。強硬な態度で「真実」に抵抗するようになります。

▼第三幕（75％－100％）

75％：プロットポイント2―完全に「嘘」を受け入れる

主人公は「真実」を断固として拒絶し、「嘘」を受け入れます。そのために、周囲を「どん底」に陥れます（主人公が何を言おうと、モラルの点では本人もどん底に墜ちています）。「嘘」を受け入れた報酬らしきものと引き換えに「真実」を拒絶し、その報いも受ける覚悟です。

88％：クライマックス―WANTを求めて最後の一押しをする

主人公はWANTを求め、敵対勢力との最終決戦へ。「真実」など気にかけず、プロットの目的地を目指して情け容赦なく突き進みます。

98%：クライマックスの瞬間──モラルの失墜

主人公は「嘘」から学んだことを使ってWANTを得ようとします。WANTを手に入れても自らの行動の善悪には無頓着。または、WANTと引き換えに失ったものの大きさに気づいて絶望します。あるいは、結局WANTを獲得できず、「嘘」のために払った自己犠牲の不毛さに打ちひしがれます。どのような道をたどろうと、主人公は敵対勢力との対立を終わらせます。

100%：解決──その後の余波

主人公は自らの選択の結果と対峙。過ちを認めて結果を受け入れ、「嘘」を振り払います。あるいは、さらに自らの目的を果たすべく、「嘘」に従い続けて冷酷に進む場合もあるでしょう。

これらのアークには、さらに多くのバリエーションがあることは言うまでもありません。ですが、ここに挙げた五種類が読み取れるようになれば、読者の心に響くパワフルな展開が表現できるようになるでしょう。

参考文献

Matt Bird, "Parallel Characters in Sunset Boulevard,"(http://www.secretsofstory.com/2013/11/rulebook-casefile-clones- in-sunset.html)

John Gardner, *The Art of Fiction* (Random House, Inc., 1983)

Jonathan Franzen, *Light the Dark*, edited by Joe Fassler (Penguin Books, 2017)

Michael Hauge, *Writing Screenplays That Sell* (Collins Reference, 2011)

Eric Maisel, *A Writer's Space* (Adams Media, 2008)

David Margulies, *The Writer*, October 2015.

ロバート・マッキー『ストーリー ―― ロバート・マッキーが教える物語の基本と原則』(越前敏弥訳、フィルムアート社、2018年)

Melanie Anne Phillips and Chris Huntley, *Dramatica* (Write Brothers Press, 1999)

ジョン・トゥルービー『ストーリーの解剖学 ―― ハリウッドNo.1スクリプトドクターの脚本講座』(吉田俊太郎訳、フィルムアート社、2017年)

John Truby, "Truby Rates the Oscar Hopefuls – 2016,"(http://truby.com/truby-rates-the-oscar-hopefuls/)

訳者あとがき

「まだ正式発表ではないけれど」と前置きした上で、ハリウッド在住の脚本家である友人が打ち明けてくれました。「少し前に僕が書いた脚本が、映画化に向けて動き出しそうなんだ」と。そんな嬉しい兆しがあっても、彼は慎重な構えを崩しません。企画がきちんと完成に至るまで、これから先も数年がかりで見守ることになるからです。

友人は静かに、こう続けました。「この脚本は、僕の自伝的なストーリーなんだ。三十年前に一度書いてみたが、いまひとつでね。ストーリーに必要なものが、最近、やっとわかった」

そのような人を目の前にした時の感動は、言葉ではとても表せません。明日の保証さえない業界に身を置きながら、三十年もの間、自分自身の内面を見つめ、答えを探し続けて物語を書くなんて。そうして「やっとわかった」ものとは、何なのでしょうか。

K.M.ワイランドさんの本書『テーマからつくる物語創作再入門（原題：Writing Your Story's Theme: The Writer's Guide to Plotting Stories That Matter）』には、次のように書かれています。

キャラクターが周囲と対立や衝突を繰り返すのは、自分がほしいもの（WANT）と、本当に必要としているもの（NEED）の矛盾を外部に投影しているからです。（第2章）

たいへん深い一文です。子ども同士のケンカから民族間の紛争に至るまで、悩みや不和の原因の多くは自己の内面の矛盾——それを即座に、素直に受け取れる人は少ないでしょう。「あの人と揉めているのは、あなたの心が矛盾しているからよ」と言われたら、ほとんどの人は一瞬ポカンとした後で、烈火のごとく怒って否定するのではないでしょうか。自己の内面に潜む亀裂の正体を知り、投影という幻を捨て、必要なものを受け入れるには、長い時間がかかります。

そのプロセスにかかる年月の分だけ、書き手の旅は深く、長く続くのかもしれません。本書の著者ワイランドさんの指南書、再入門シリーズは、そんな書き手の航海をあらゆる角度からナビゲートしてくれます。愛や勇気といったテーマを描きたいなら、まず本書をお読み頂くとよいでしょう。テーマを物語にするのに必要なアイデアの収集には『アウトラインから書く小説再入門』と『〈穴埋め式〉アウトラインから書く小説執筆ワークブック』。物語のプロットの組み立てには『ストラクチャーから書く小説再入門』。キャラクターに注目し、物語の枠の中でどう生きざまを描くかを模索するには『キャラクターからつくる物語創作再入門』が最適です。

日本のストーリーテラーに役立つ参考書を次々と送り出して下さるフィルムアート社の皆様と、本書の編集をご担当下さった同社の伊東弘剛さん、また本書の制作に携わって下さいましたすべての方に深く御礼申し上げます。

三十年後に花開くかもしれない物語の種は、きっと、あなたの中にもあります。どうか大切に温め、育てて下さい。何年か寝かせておくこともあるでしょう。ある時ふと、再びその物語を書いてみたくなった時にも、本書があなたのそばにありますように。

二〇二一年一一月　　シカ・マッケンジー

著者

K.M.ワイランド（K.M. Weiland）

アメリカ合衆国ネブラスカ州出身。インディペンデント・パブリッシャー・ブック・アワードを受賞する他アメリカ国内でその実績が高く評価されている。『アウトラインから書く小説再入門』『ストラクチャーから書く小説再入門』『キャラクターからつくる物語創作再入門』『〈穴埋め式〉アウトラインから書く小説執筆ワークブック』（以上フィルムアート社）など創作指南書を多数刊行。また作家としてディーゼルパンク・アドベンチャー小説『Storming』や、中世歴史小説『Behold the Dawn』、ファンタジー小説『Dreamlander』等、ジャンルを問わず多彩な作品を発表している。ウェブサイト「Helping Writers Become Authors」やSNSでも情報を発信中。

訳者

シカ・マッケンジー（Shika Mackenzie）

関西学院大学社会学部卒業。「演技の手法は英語教育に取り入れられる」とひらめき、１９９９年渡米。以後ロサンゼルスと日本を往復しながら、俳優、通訳、翻訳者として活動。教育の現場では、俳優や映画監督の育成にあたる。『アウトラインから書く小説再入門』『ストラクチャーから書く小説再入門』『キャラクターからつくる物語創作再入門』『〈穴埋め式〉アウトラインから書く小説執筆ワークブック』（以上フィルムアート社）と、これまでに日本で刊行されたK.M.ワイランドの著書すべてを翻訳している。他訳書は『ハリウッド式映画制作の流儀』『記憶に残るキャラクターの作り方』（以上フィルムアート社）など。

テーマからつくる物語創作再入門

ストーリーの「まとまり」が共感を生み出す

2021年12月25日　初版発行

著者　K.M.ワイランド
訳者　シカ・マッケンジー

デザイン　戸塚泰雄（nu）
イラスト　花松あゆみ
編集　伊東弘剛（フィルムアート社）

発行者　上原哲郎
発行所　株式会社 フィルムアート社
〒150-0022
東京都渋谷区恵比寿南1-20-6　第21荒井ビル
tel 03-5725-2001
fax 03-5725-2626
http://www.filmart.co.jp/

印刷・製本　シナノ印刷株式会社

ISBN978-4-8459-2111-9 C0090